세계인과 함께 읽는 채근담

CAI GEN TAN

aŭ

Maĉado de Saĝoradikoj

홍응명(洪應明, HONG Yingming) 지음

왕숭방(王崇芳, WANG Chongfang) 에스페란토 역

오태영(Mateno) 옮김

세계인과 함께 읽는 채근담(에·한 대역)

인　쇄 : 2024년 5월 1일 초판 1쇄
발　행 : 2024년 5월 8일 초판 1쇄
지은이 : 홍응명(洪應明, HONG Yingming)
- 에스페란토 번역 : 왕숭방(王崇芳, WANG Chongfang)
옮긴이 : 오태영(Mateno)
펴낸이 : 오태영(Mateno)
출판사 : 진달래
신고 번호 : 제25100-2020-000085호
신고 일자 : 2020.10.29
주　소 : 서울시 구로구 부일로 985, 101호
전　화 : 02-2688-1561
팩　스 : 0504-200-1561
이메일 : 5morning@naver.com
인쇄소 : TECH D & P(마포구)

값 : 20,000원
ISBN : 979-11-93760-09-3(03820)

세계인과 함께 읽는 채근담

CAI GEN TAN
aŭ
Maĉado de Saĝoradikoj

홍응명(洪應明, HONG Yingming) 지음

왕숭방(王崇芳, WANG Chongfang) 에스페란토 역

오태영(Mateno) 옮김

진달래 출판사
Eldonejo Azaleo

Prononca ŝlosilo de la propraj nomoj en la traduko

La ĉinaj propraj nomoj latinigitaj laŭ la ĉina oficiala sistemo de transskribo povas esti prononcataj proksimume kiel la Esperantaj kun la jenaj esceptoj:

Konsonantoj:

ch = ĉ   h = ĥ   j = ĝj   q = ĉj   r = ĵ   sh= ŝ
w = ŭ   x = ŝj   y = j   zh = ĝ

Kombinoj de vokaloj:

ai = aj   ei = ej   ao = aŭ   ou = oŭ
ia = ja
ie = je   iao = jaŭ   iou = joŭ   uo = ŭo
uai = ŭaj
uei = ŭej   uan = ŭan   uang = ŭang
weng = ŭeng   yu = ju   ü = ju
u post j, q, x = ju

ENHAVO(차례)

Antaŭparoleto

CAI GEN TAN (MAĈADO DE SAĜORADIKOJ) estis verkita de Hong Yingming, kiu vivis dum la regperiodo de la imperiestro Wanli (1573-1620) de Ming-dinastio.

Dum la ĉ. 400 jaroj de post sia ekapero, la verko ne estis disvastigita, nek vekis merititan atenton kiel en Ĉinio, tiel ankaŭ eksterlande. Sed en Japanio, en la 80-jaroj de la lasta jarcento, aperis intensa populara interesiĝo pri tiu ĉi verko. Multaj japanaj kompanioj kaj entreprenoj, impresitaj de la filozofiaj ideoj, adoptis ilin kiel elementan parton de siaj administraj konceptoj.

Hong Yingming havis grandan estimon por konfuceanismo, budhismo kaj taoismo, kaj tial lia verko estas plena de maksimoj pri sinkulturado kaj vivfilozofio, kiuj sin bazas sur la doktrinoj de konfuceanismo, budhismo kaj taoismo. En efektiveco ĝi estas libro de aforismoj skribita en esea formo, traktanta ĉefe la temojn pri la homa deca kondutado. Per multaj signifoplenaj citaĵoj, originalaj rimarkoj kaj elegantaj esprimoj la libro klarigas profundajn verojn en simplaj vortoj kaj liveras abundajn materialojn por pripensado. Ĝi estis verkita por ordinaraj homoj penantaj sin plinobligi, kun la celo helpi al ili rekoni sian vivovaloron, hardi sian volon kaj fari sin entreprenemaj. La aŭtoro estis konvinkita, ke la sinnobligo estas atingebla per rigora sinkulturado, kaj tiucele oni bezonas antaŭ ĉio akiri al si saĝajn komprenojn pri la homa vivo kaj pri la rilatoj inter la homoj kaj inter la homo kaj la mondo. Jen kial la libro ricevis sian titolon "Maĉado de Saĝoradikoj".

la esperanta tradukinto

머리말

채근담(지혜의 뿌리 씹기)은 명나라 만력제 (1573-1620) 치세에 살았던 홍응명(洪應明, 자는 자성 自誠)이 저술한 것이다.

등장한 지 약 400년이 지난 후에도 이 작품은 널리 읽히지 않았고, 중국처럼 해외에서도 마땅한 관심을 끌지 못했다. 그러나 일본에서는 지난 세기의 80년대에 이 작품에 대한 대중적 관심이 크게 나타났다.

철학 사상에 깊은 인상을 받은 일본인 회사와 기업은 이를 경영 개념의 기본 요소로 많이 채택했다.

홍응명은 유교, 불교, 도교를 매우 숭상했기에 그의 작품은 유교, 불교, 도교의 가르침에 기초한 자기수양과 처세(삶의 철학)에 대한 격언으로 가득 차 있다. 대부분 인간의 품위있는 행동에 대한 주제를 다루는 수필 형식으로 작성된 실용적인 격언집이다.

이 책은 의미 있는 인용문이 많고 독창적인 발언, 우아한 표현을 통해 깊은 진리를 간단한 말로 설명하고 풍부한 성찰 자료를 제공한다. 삶의 가치를 인식하고 의지를 다지며 진취적인 자신을 만드는데 도움을 줄 목적으로 자기계발하려는 평범한 사람들을 위해 작성되었다. 자아실현은 엄격한 자기 수양으로 얻을 수 있고 이를 위해서는 무엇보다도 인간의 삶과 사람 사이의 관계와 사람과 세계 사이의 관계에 대해 현명하게 이해할 필요가 있다고 저자는 확신했다. 그래서 이 책의 제목이 "지혜의 뿌리 씹기"인 이유가 된다.

에스페란토 번역자

Unua parto

Cai Gen Tan 1)

Tiuj, kiuj gardas sian moralecon, suferas solecon nur dumtempan; tiuj, kiuj flate kroĉiĝas al potenculoj, estas destinitaj por senfina forlasiteco.

Personoj filozofemaj rigardas ekster la aferojn de la mondo kaj direktas siajn konsiderojn al la postmorta reputacio. Ili preferas suferi solecon dumtempan, ol senfinan forlasitecon.

채근담 1)

도덕성을 지키는 사람들은 일시적으로만 외로움을 겪습니다. 권력자에게 아첨하는 자들은 끝없이 버림 받을 운명에 처해 있습니다.

철학을 즐기는 사람들은 세상사 너머를 바라보고 사후 평판에 관심을 돌립니다. 그들은 끝없이 버려지 는 것보다 잠시 외로움을 겪는 것을 더 좋아합니 다.1)

---

1) 반듯하게 살다보면 따돌리고 서럽기도 할건데 그것도 금방 이고, 빽있고 돈 있는 놈 믿고 까불다가는 신세 조지기 딱

Cai Gen Tan 2)

Tiu, kiu havas malmulte da vivospertoj, estas apenaŭ makulita per aĉaĵoj de l' mondo; tiu, kiu estas multe vidinta la mondon, estas plenplena de artifikoj kaj ruzaĵoj. Tial, homo nobla preferas konservi siajn simplecon kaj krudecon, ol fari sin tro mondsperta kaj taktoplena, kaj preferas esti grandanima kaj tolerema, ol fari sin tro singarda pri bagatelaj aferoj.

채근담 2)

삶의 경험이 적은 사람은 세상의 더러움에 거의 물들지 않습니다. 세상을 많이 본 사람은 기교와 속임수로 가득 차 있습니다. 그러므로 군자는 너무 세속적인 경험과 재치보다는 소박함과 투박함을 유지하고, 사소한 일에 지나치게 몸을 사리기보다는 너그럽고 관대하기를 더 좋아합니다.2)

좋지. 뭘 좀 아는 사람은 일 벌어지기 전에 벌써 알고, 선빵 날리다가 깽값 물어 줄수 있다는 걸 생각하지.
지금 쪼매 억울하고 손해 본다 싶어도 나중에 신세 조지는 일 하지마라. Dandi역
2) 세상살이 덜 부대낀 놈이 때가 좀 덜 끼었고, 세상 더러운 꼴 볼 것 못 볼것 많이 본 놈이 온갖 꼼수가 늘어졌지.
그래서 사람들아, 좀 젊잖다 소리 들으려면 내 똑똑다, 하지 말고 좀 모르는 듯이, 머리카락 홈 파듯 세세히 따지지 말고

Cai Gen Tan 3)

La koro de noblulo estas tiel serena, kiel la blua ĉielo, tiel klara, kiel la taglumo, ke ĉiuj aliaj neniel povas ĝin miskompreni; sed liaj talentoj estas tiel zorge gardataj, kiel juveloj altvaloraj, ke ilin ĉiuj aliaj ne povas facile ekkoni.

채근담 3)

군자의 마음은 파란 하늘처럼 고요하고 대낮처럼 밝아서 다른 사람들이 결코 그것을 오해할 수 없습니다. 그러나 군자의 재능은 마치 값비싼 보석처럼 세심하게 보호되어 있어서 다른 사람들이 그것들을 쉽게 알아볼 수 없습니다.3)

Cai Gen Tan 4)

Pura estas tiu, kiu tenas sin for de la potenco, riĉaĵoj kaj luksaĵoj, sed tiu, kiu tuŝas tiaĵojn kaj restas senmakula, estas

---

거저 그런개비다하는게 세상살이 편타. Dandi역
3) 어질게 살려면 마음 씀에 꼬롬함이 없이 누가 봐도 푸른 하늘 태양처럼 당당하게 내 보여야되고, 무던하게 살려면 내 주특기 18번은 롯또 당첨사실 숨기듯 꽁꽁 감춰두고 누가 쉽게 모르게 해야된다. Dandi역

eĉ pli pura. Nobla estas tiu, kiu ne konas ruzaĵojn kaj artifikojn, sed tiu, kiu konas tiaĵojn kaj trovas neinda ilin uzi, estas eĉ pli nobla.

채근담 4)

권력과 재물과 사치를 멀리하는 사람은 깨끗합니다. 그러나 그런 것들을 접하고도 더럽혀지지 않은 사람은 더 깨끗합니다. 속임수를 모르는 사람은 고귀합니다. 그러나 그런 것을 알고도 그것을 사용할 가치가 없다고 생각하는 사람은 더 고귀합니다.

Cai Gen Tan 5)

La ofta aŭdado de vortoj malagrablaj al la orelo kaj la ofta pensado pri aferoj malagrablaj al la koro, efikas kiel akriga ŝtono, sur kiu ni plibonigas nian naturon kaj kondutadon.

Se ĉiu vorto aŭdita estas agrabla al la orelo, kaj ĉiu afero pripensata estas agrabla al la koro, tio egalas nur trempadi nian vivon en venenita vino.

채근담 5)

귀에 거슬리는 말을 자주 듣고 마음에 기분나쁜
일을 자주 생각하는 것은 우리의 본성과 행동을 개
선하는 숫돌과 같은 역할을 합니다.
들는 모든 말이 귀에 즐겁고 생각하는 모든 일이
마음에 기분좋다면 그것은 우리의 삶을 독이 든 포
도주에 담그는 것과 같습니다.

Cai Gen Tan 6)

Kiam la vento furiozas kaj la pluvo
torentas, eĉ la birdoj vee aspektas. Kiam
la pluvo ĉesas kaj la vento mildiĝas, la
herboj kaj arboj kreskas vigle en freŝa
suno. El tio ni povas ekkompreni, ke en la
naturo neniu tago povas esti sen paca
tempopeco, kaj en la homa koro neniu
tago povas esti tute sen ĝojo.

채근담 6)

바람이 세차게 불고 비가 쏟아지면 새조차도 슬프
게 보입니다. 비가 그치고 바람이 부드러워지면 풀과
나무가 신선한 태양 아래 힘차게 자랍니다. 이것으로
부터 자연에서는 평화로운 시간이 조금이라도 없으

면 하루가 지나갈 수 없듯, 인간의 마음도 기쁨이 전혀 없으면 하루가 있을 수 없다는 것을 우리는 알아차릴 수 있습니다.

Cai Gen Tan 7)

Vera gusto ne kuŝas en aroma likvoro, nek en rafinitaj pladoj; ĝi estas nenio alia ol la preskaŭa sengusteco. Homo, kiu atingis la perfektecon de virto, ne kondutas mirinde, nek elstaras super aliaj. Li troviĝas nur inter la ordinaruloj.

채근담 7)

진정한 맛은 향기로운 음료나 세련된 요리에 있지 않고 거의 무미에 가깝습니다. 훌륭한 덕은 놀랍게 행동하거나 남보다 훨씬 뛰어나지 않고 보통사람들 사이에서 흔히 보게됩니다.

Cai Gen Tan 8)

Kvankam la universo ŝajnas esti en kvieteco, tamen ĝiaj elementoj estas en konstanta movado. La suno kaj luno rondkuras tage kaj nokte kaj verŝas lumon sur la teron. Simile, la klera homo sentas sin pelata de urĝeco eĉ dum senokupeco, kaj scias trovi ĝuon de ripozo eĉ en sia ĉiutaga klopodado.

채근담 8)

우주가 고요하게 있는 것처럼 보이지만 그 요소들은 끊임없이 움직이고 있습니다. 해와 달이 밤낮으로 돌며 빛을 지구에 비춥니다. 마찬가지로 교양있는 사람은 한가한 상태에서도 긴장을 늦추지않고 힘쓰고 애쓰는 모든 날에도 휴식의 즐거움을 찾는 방법을 알고 있습니다.

Cai Gen Tan 9)

En la nokta silento, kiam homo sidas sola en meditado, li ekhavas la senton, ke ĉiaj malbonaj ideoj malaperas, kaj nur la pura sereneco regas en lia menso.

Ĉiufoje, kiam tio okazas, li multe ĝuas la naturan inspiron, kiu venas el lia vera interno.

Sed baldaŭ, ekkonstatante la realecon, li ree sentas, ke por li ja estas malfacile ĵeti flanken la malbonajn pensojn, kaj tiam hontego lin ekkaptas.

채근담 9)

밤의 고요함 속에서 명상하며 혼자 앉아 있을 때 모든 나쁜 생각이 사라지고 순수한 평안함이 마음에 가득함을 느낍니다.
그럴 때마다 자신의 진정한 내면에서 나오는 타고난 영감을 흠뻑 즐깁니다.
그러나 곧 현실을 살아가면서 나쁜 생각을 옆으로 버리기가 참으로 어렵다는 것을 다시 한 번 느끼고 그때는 엄청 부끄럽습니다.

Cai Gen Tan 10)

Favoro ricevita plejofte alportas malfeliĉon. Tial, en tempo de memkontenteco, oni nepre ne lasu sin kapturniĝi de tio, kion oni atingis. Sukceso povas sekvi post malsukceso, tial oni nepre ne rezignu ĉion, kio estas kontraŭ la deziro.

채근담 10)

호의를 자주 받는 것이 불행을 가져옵니다. 그러므

로 스스로 만족할 때에도 성취한 것에 현기증을 느껴서는 절대 안 됩니다. 실패한 뒤에 성공할 수 있으므로 바라는 대로 안된다고 모든 것을 포기해서는 절대 안 됩니다.

Cai Gen Tan 11)

Tiu, kiu prenas nefajnajn nutraĵojn kaj simplajn trinkaĵojn, plejofte estas klara kiel glacio kaj pura kiel jado; tiu, kiu vestas sin en silko kaj nutras sin per delikataĵoj, emas humiliĝi kun fleksitaj genuoj kaj sklaveca mieno. Tial homaj aspiroj povas sin montri nur en la kora pureco kaj en la malmultigo de la deziroj, dum la alta moraleco povas facile perdiĝi en la ĝuado de ĉetablaj plezuroj.

채근담 11)

소박한 음식과 보통의 술을 마시는 사람은 대부분 얼음처럼 맑고 옥처럼 깨끗합니다. 비단옷을 입고 진미를 먹는 사람은 무릎을 굽히고 비굴한 표정으로 자신을 낮추는 경향이 있습니다. 그러므로 사람의 열망은 마음이 순수하고 욕망이 적어야만 나타날 수 있는 반면, 높은 도덕성은 호사스런 쾌락을 즐기는 데서 쉽게 잃을 수 있습니다.

Cai Gen Tan 12)

En via kondutado kontraŭ aliaj, estu larĝanima kaj tolerema, ke neniu povos havi plendon kontraŭ vi. Tiamaniere viaj grandanimaj agoj transvivos vian morton, meritante senliman dankemon de la mondo.

채근담 12)

다른 사람을 대할 때 아무도 당신을 원망하지 않도록 너그럽고 관대하게 대하세요. 이런 식으로 마음을 넓게 행동해야 세상에서 무한한 감사를 받을 자격이 있는 당신이 죽은 뒤에도 잊히지않고 계속 살 것입니다.

Cai Gen Tan 13)

Irante sur mallarĝa vojeto, faru paŝon flanken, por ke aliaj povu pasi. Ĝuante bongustaĵon apartigu parton el ĝi, por ke aliaj dividu kun vi la plezuron. Jen por vi la plej agrabla maniero konduti en la mondo.

좁고 작은 길을 걸을 때는 다른 사람들이 지나갈 수 있도록 옆으로 비켜서십시오. 진미를 즐길 때 다른 사람들이 당신과 함께 즐거움을 나눌 수 있도록 그것의 일부를 따로 남겨 두십시오. 당신이 세상을 살아가는 가장 기분좋은 방법입니다.

Cai Gen Tan 14)

Por vivi kiel vera homo, oni bezonas neniajn brilajn talentojn; se oni nur liberigas sin de vulgaraj deziroj, tiam oni povos esti kalkulata inter la eminentuloj. Por progresadi en studado, oni bezonas nenian specialan metodon; se oni nur liberigas sin de materialaj pensoj, kiuj ĝenas la menson, tiam oni povos eniri en la regnon de la saĝuloj.

채근담 14)

참으로 사람답게 살기 위해 뛰어난 재능이 필요하지는 않습니다. 세속적인 욕심에서 벗어나기만 하면

훌륭한 사람으로 간주될 수 있습니다. 공부를 잘하기 위해서 특별한 방법이 필요하지는 않습니다. 마음을 어지럽히는 물질에 매인 생각에서 벗어나기만 하면 지혜로운 사람의 범주에 들어갈 수 있습니다.

Cai Gen Tan 15)

Por amikiĝi kun aliaj, oni bezonas iom da kavalireco.
Por esti vera homo, oni devas konservi puran koron.

채근담 15)

다른 사람들과 친구가 되려면 약간의 기사도가 필요합니다.
참된 사람이 되려면 순수한 마음을 간직해야 합니다.

Cai Gen Tan 16)

Por konkuri pri favoro kaj profito, ne estu antaŭe de aliaj; por fari al vi virton kaj akiri meritojn, ne estu malantaŭe de aliaj.
Ĝuante la vivon, ne postulu pli ol kiom

decas al via rango kaj situacio; kulturante la moralan karakteron, ne ĉesu antaŭ ol via plej granda penado estas farita.

채근담 16)

호의와 이익을 위해 경쟁함에는 남보다 앞서지 마십시오. 스스로 덕을 쌓고 칭찬을 받음에는 남에게 뒤처지지 마십시오.
인생을 즐김에는 지위와 형편에 합당한 것 이상을 요구하지 마십시오. 도덕적 성품을 계발함에는 최선을 다하기 전에 멈추지 마십시오.

Cai Gen Tan 17)

En la kondutado kontraŭ aliaj, montri sin cedema estas maniero plej alta, ĉar retroiri unu paŝon estas fari preparon por sia posta antaŭeniro. Trakti aliajn indulgeme estas parto de sia propra feliĉo, ĉar profitigante aliajn oni metas la fundamenton por sia estonta profito.

채근담 17)

남을 대함에 있어 양보하는 모습을 보이는 것이

가장 좋은 방법입니다. 한 발짝 물러서는 것이 앞으로의 전진을 준비하는 길이기 때문입니다. 다른 사람을 너그럽게 대하는 것은 자신의 독특한 행복의 일부입니다. 다른 사람을 이롭게 함으로써 미래의 이익을 위한 기초를 놓기 때문입니다.

Cai Gen Tan 18)

Kiel ajn granda estas la merito, aroganteco ĝin nuligos; kiel ajn nepardonebla estas la krimo, pento ĝin kompensos.

채근담 18)

아무리 칭찬받을 만하더라도 교만하면 헛수고가 됩니다. 아무리 용서받을 수 없는 죄를 지어도 회개하면 사함받게 됩니다.

Cai Gen Tan 19)

Akirinte bonan reputacion kaj atinginte altan moralecon, vi devas dividi ilin kun aliaj anstataŭ gardi ilin nur por via egoisma posedo; tiamaniere vi povos forteni vin de estontaj danĝeroj.

Ne ĉiujn hontindaĵojn kaj malbonan reputacion vi devas forpuŝi sur aliajn, sed parton el ili vi atribuu al vi mem; tiamaniere vi povos kaŝi viajn talentojn kaj plialtigi vian virton.

채근담 19)

좋은 평판을 얻고 높은 도덕성을 얻은 후에는 그 것을 자기 혼자서 소유할 것이 아니라 다른 사람들 과 공유해야 합니다. 이런 식으로 미래의 위험으로부 터 자신을 지킬 수 있을 것입니다.

수치와 나쁜 평판을 다른 사람에게 전부 떠넘겨서 는 안 되며, 그 일부를 자신에게 돌려야 합니다. 이 런 식으로 자기 재능을 숨기고 덕을 키울 수 있습니 다.

Cai Gen Tan 20)

Kion ajn mi faras, mi devas lasi parton neplenumita, tiam la Kreinto ne envios min, nek la fantomoj kaj spiritoj faros malutilon al mi. Se, dum la kulturado de mia morala karaktero, mi strebus al la plena perfekteco, kaj, dum mia penado akiri al mi meritojn kaj honoron, mi direktus min rekte al la plejsupro, tiam, eĉ se mi ne elvokus ian internan malfeliĉon, mi certe kaŭzus al mi eksteran katastrofon.

채근담 20)

무엇을 하든, 일부를 미완성 상태로 남겨두어야 합니다.
조물주가 시기하지 아니하고 유령이나 귀신들도 해하지 아니할 것입니다. 도덕적 성품을 계발하면서 전부 완전하길 바라고, 끊임없이 노력하면서 칭찬과 존경을 받으려고 애쓴다면 정상을 향해 곧장 나아갈 것입니다.
그러면 어떤 내적인 불행을 불러일으키지 않더라도 분명 외적인 재해를 야기할 것입니다.

Cai Gen Tan 21)

Oni devas havi veran kredon en la hejmo kaj verajn kondutregulojn en la ĉiutaga vivo. Se oni kondutas sincere kaj afable, kun rideta mieno kaj ĝentilaj vortoj, tiam estos nenia malkonkordo kaj fremdeco inter la familianoj, kaj iliaj interesoj plene akordos. Tio estos miloble pli bona, ol sidi en meditado kiel la budhano, aŭ ol praktiki spirekzercon kaj memobservon de la konscienco.

채근담 21)

가정에서는 참된 믿음이, 일상 생활에서는 참된 행동 규칙이 있어야 합니다. 웃는 얼굴과 예의 바른 말투로 진실하고 친절하게 대하면 가족 간에 불목하거나 소외됨이 없고 이해관계가 완전히 일치하게 됩니다. 이는 불교도처럼 앉아서 참선하는 것보다, 호흡 운동과 양심의 자기 관찰을 연습하는 것보다 천 배 나을 것입니다.

Cai Gen Tan 22)

Tiu, kiu estas moviĝema, povas esti kiel fulmo trakuranta nubojn, aŭ kiel kandela flamo flagranta en la vento. Tiu, kiu estas kvietema, povas esti kiel mortinta cindro aŭ sekiĝinta arbo. La esenco de la Taŭo kuŝas en tio, ke en moveco estu trovita senmoveco, kaj en la senmoveco estu moveco. Moveco kaj senmoveco estas en harmonio unu kun la alia, tiel same kiel milvo traflugas nubojn lante flosantajn, aŭ kiel fiŝo saltas super la kvietan akvon de la lageto.

채근담 22)

적극적인 사람은 구름 사이에서 내리치는 번개나 바람에 흔들리는 촛불과 같을 수도 있습니다. 소극적인 자는 꺼진 재나 마른 나무 같을 수 있습니다. 움직임 속에 고요함이 있어야 하고, 고요함 속에 움직임이 있어야 함이 도의 본질입니다. 소리개가 천천히 떠다니는 구름 사이를 날아가듯, 물고기가 연못의 잔잔한 물 위를 뛰어다니듯, 움직임과 고요함이 서로 조화를 이룹니다.

Cai Gen Tan 23)

Riproĉante iun pri liaj kulpoj, ne estu tro severa kontraŭ li: vi devas konsideri lian ofendiĝemon. Admonante iun korekti sian konduton, ne donu al li tro altan celon: vi devas konsideri lian kapablon ĝin atingi.

채근담 23)

어떤 사람의 잘못을 꾸짖을 때에는 너무 엄하게 하지 말고 감당할 수 있는가를 고려해야 합니다. 누

군가의 행동을 바로잡도록 훈계할 때, 너무 높은 목
표를 부여하지 마십시오. 그것을 달성할 수 있는 능
력을 고려해야 합니다.

Cai Gen Tan 24)

Nenio estas pli malpura ol la larvo en
sterko, sed ĝi povas turniĝi en cikadon,
kiu trinkas la puran aŭtunan roson. Putra
herbo ne havas brilon, sed ĝi povas doni
vivon al lampiro, kiu eligas ek-ek-brilojn
en someraj noktoj. El tio ni do povas
ekscii: puraĵoj povas estiĝi el malpuraĵoj,
kaj brileco ofte venas el la mallumo.

채근담 24)

두엄 속의 애벌레보다 더 더러운 것은 없지만 매
미로 변할 수 있어서 순수한 가을 이슬을 마십니다.
썩은 풀은 빛나지 않지만 반딧불에게 생명을 줄 수
있어서 여름 밤에 빛을 냅니다. 이것으로부터 우리는
배울 수 있습니다. 순수한 것은 불순물에서 나올 수
있고 광채는 종종 어둠에서 나옵니다.

Cai Gen Tan 25)

Aroganteco kaj fanfaronado estas la rezulto de malbonaj influoj de ekstere. Se tiaj influoj estas subpremataj, tiam sanecaj tendencoj povos pli vigliĝi. Pasiaj deziroj kaj konfuzaj ideoj venas el nenormalaj kaj malvirtaj pensoj; nur senigite je tiaj malbonaj pensoj, oni povas havi sian veran naturon retrovita.

채근담 25)

교만과 자랑은 외부로부터 나쁜 영향을 받은 결과입니다. 그러한 영향을 억제하면 건강한 성향이 더욱 활발해질 것 입니다. 정욕과 잡념은 비정상적이고 악한 생각에서 나옵니다. 그런 나쁜 생각을 없애야만 본성을 되찾을 수 있습니다.

Cai Gen Tan 26)

Se oni meditas pri la gusto de nutraĵo post satmanĝo, malaperas tute la agrabla sento de la ĝuo de diversgustaj frandaĵoj. Se oni remaĉas la pensojn pri karnaj plezuroj post satiĝo je amorado, la sceno de nuda sekskuniĝo ne estas plu tiel forte ekscitanta. Tial, se oni povas uzi rimorsan penton pri sia farita kulpo, por dispeli konfuzitecon ĉe estonta misago, tiam oni havos sian naturon refirmigita kaj ne plu kulpos misagojn.

채근담 26)

배부르게 먹은 후에 음식의 맛을 생각하면 여러 가지 맛있는 진미를 즐기는 유쾌한 느낌이 완전히 사라집니다. 충분한 사랑을 나눈 후에 육체적 즐거움을 생각하면 벌거벗은 사랑 장면은 더 이상 그렇게 강렬하지 않습니다. 그러므로 만일 장래의 잘못에 대한 혼란을 쫓아내려고 자기가 지은 잘못을 뉘우치는 회개를 사용할 수 있다면 본성이 다시 튼튼하게 되어 더 이상 잘못을 범하지 않게 될 것입니다.

Cai Gen Tan 27)

Tiu, kiu okupas gravan regnoficistan postenon, devas nutri sian spiriton per la simplaj pensoj de ermito, kiu vivas en montoj kaj arbaroj. Tamen la ermito, kvankam loĝanta en izoliteco, neniel devas forlasi la altan ambicion kaj la kapablon servi al la regno.

채근담 27)

나라의 중요한 직책을 맡은 사람은 산과 숲에 사는 은둔자의 단순한 생각으로 영혼을 채워야 합니다. 그러나 은둔자는 비록 고립되어 살고 있지만 나라에 봉사하려는 높은 야심과 능력을 결코 버려서는 안 됩니다.

Cai Gen Tan 28)

Vivante en la mondo, oni ne esperu akiri al si meritojn; se oni nur ne faras erarojn, oni akiras meritojn. Donante bonfarojn al aliaj, oni ne esperu dankojn pro tio; se oni nur ne vekas rankoron ĉe aliaj, tio estas dankemo sufiĉa.

채근담 28)

세상에 살면서 칭찬듣기를 바라지 맙시다. 실수만 하지 않으면 칭찬을 받은 것입니다. 다른 사람에게 선행을 베풀면서 감사를 기대하지 맙시다. 다른 사람의 원망을 불러일으키지 않는 한 그것으로 충분한 보답입니다.

Cai Gen Tan 29)

Peni fari bonajn agojn estas bela virto.
Sed se oni trolacigas sin en la procezo,
tiam oni ne povos ĝojigi sian koron per
tio.
Rigardi kun indiferenteco riĉecon kaj
potencon estas nobla kvalito.
Sed se oni staras tro aparte de mondaj
aferoj, tiam oni ne povos doni helpojn al
homoj, nek alporti utilon al la mondo.

채근담 29)

선행을 하려고 애쓰는 것은 아름다운 미덕입니다.
그러나 그 과정에서 너무 지치면 기쁜 마음으로 할
수 없습니다.
부와 권력을 무관심하게 바라보는 것은 고귀한 자
질입니다.
그러나 세상일에 너무 멀리 떨어져 있으면 남을
도울 수 없고 세상에 유익을 줄 수 없습니다.

Cai Gen Tan 30)

Juĝante personon, kiun trafis malfeliĉo

kaj ruiniĝo, oni devas konsideri liajn originajn aspirojn kaj ambiciojn. Juĝante personon, kiu ŝajne jam atingis sukceson, oni devas ekzameni lian finan situacion.

채근담 30)

불행과 파멸을 당한 사람을 판단할 때는 원래의 포부와 야망을 고려해야 합니다. 이미 성공한 것처럼 보이는 사람을 판단할 때는 최후의 상황을 살펴봐야 합니다.

Cai Gen Tan 31)

Homo riĉa kaj altranga devas esti grandanima, kaj neniam estas enviema, nek avara; ĉar alie li agos kiel homo malriĉa, kaj kiel do li povus longatempe ĝui sian riĉecon? Saĝa klerulo devas esti modesta kaj humila, kaj ĉiam teni siajn talentojn kaŝitaj. Se li paradas per ili, tiam li agos kiel stultulo, kiel do li povus ne sin ruinigi en la fino?

채근담 31)

부유하고 지위가 높은 사람은 마음이 넓어야 하며 결코 시기하거나 욕심내지 않아야 합니다. 그렇지 않으면 가난한 사람처럼 행동할 것이기 때문입니다. 그러면 어떻게 오랫동안 부유를 누릴 수 있겠습니까? 현명하고 지혜가 있는 사람은 겸손하고 조심스럽게 행동하며 항상 자신의 재능을 숨겨야 합니다. 그것들을 자랑한다면 바보처럼 행동하는 것이고, 그렇다면 어떻게 결국 자신을 망치지 않을 수 있겠습니까?

Cai Gen Tan 32)

Nur malsuprenirinte sur malaltan lokon, oni povas ekkoni la danĝeron de ascendo al alta loko. Nur sin trovante en mallumo, oni konstatas, kiel forte blindigas la okulojn la brilo. Alkutimiĝinte al kvieteco, oni eksentas la lacecon de troa moviĝado; kaj nur tiu, kiu estas kulturita al silentemo, abomenas la malagrablecon de babilado.

채근담 32)

낮은 곳으로 내려가야만 높은 곳으로 올라가는 위험을 알 수 있습니다. 어둠속에 처할 때에만 빛이 얼마나 강하게 눈을 멀게 하는지 깨닫습니다. 고요함에

익숙해진 사람은 지나친 움직임의 피로를 느낍니다. 그리고 과묵함에 길들여진 사람만이 수다의 불쾌함을 싫어합니다.

Cai Gen Tan 33)

Forpelinte el sia koro la pensojn pri riĉeco kaj rango, oni povas liberigi sin de la vulgareco de la mondo. Forĵetinte el sia menso la ideojn pri virto kaj moraleco, oni povas eniri en la subliman regnon de perfekta belo.

채근담 33)

부와 지위에 대한 생각을 마음에서 몰아내면 세상의 천박함에서 벗어날 수 있습니다. 가치와 도덕에 대한 생각을 마음에서 내버리면 완전한 아름다움의 숭고한 나라에 들어갈 수 있습니다.

Cai Gen Tan 34)

Deziro pri famo kaj riĉeco ne nepre malutilas al la naturo de homo; estas la troa memfido, el kiu estiĝas malutilo al la homa koro. Belaj muzikoj kaj karnaj plezuroj ne nepre malhelpas al homo perfektigi sian virton; estas la misuzo de lia saĝo, kiu metas obstaklon inter li kaj lia perfektiĝo.

채근담 34)

명성과 부에 대한 욕망이 반드시 사람의 본성에 해를 끼치는 것은 아닙니다. 인간의 마음에 해를 끼치는 것은 과도한 자신감입니다. 아름다운 음악과 육체적 쾌락이 반드시 사람의 미덕을 완성하는 데 방해가 되는 것은 아닙니다. 사람과 사람의 완전함 사이에 있는 장애물은 사람의 지혜를 잘못 사용하는 것입니다.

Cai Gen Tan 35)

La homaj sentoj kaj la mondaj aferoj estas en konstanta ŝanĝiĝado, kaj la vivovojo estas malglata kaj malebena. Sin trovante en seneliro, oni devas scii retroiri unu paŝon, kaj venante al libera vojo, oni devas scii fari vojon ankaŭ al aliaj.

채근담 35)

사람의 감정과 세상사는 끊임없이 변화하고 인생 길은 거칠고 고르지 않습니다. 막다른 길에 처했을 때 한발 물러설 줄도 알아야 하고, 자유로운 길에 이르렀을 때 남에게 길을 내줄 줄도 알아야 합니다.

Cai Gen Tan 36)

En kondutado kontraŭ malnoblulo la malfacilo kuŝas ne en troa severeco, sed en sindeteno de malamo al li. En kondutado kontraŭ altranga noblulo la malfacilo kuŝas ne en respekta sinteno, sed en konformigo de la respekto al la deco.

채근담 36)

소인에 대항하여 행동할 때 어려운 점은 지나친 엄격함이 아니라 미워하지 않는 데 있습니다. 수준높은 대인을 대할 때 어려운 점은 공손한 태도가 아니라 예의를 갖추는 데 있습니다.

Cai Gen Tan 37)

Estas pli bone, ke oni konservu la simplecon de sia naturo kaj evitu artifikecon kaj ruzecon, ĉar per tio oni lasos ian puran influon al la mondo. Estas pli bone ankaŭ, ke oni turnu la dorson al luksa vivo kaj trovu plezuron en la simpleco kaj kvieteco, ĉar per tio oni lasos belan nomon al la mondo.

채근담 37)

자신의 본성을 단순하게 유지하고 속임수와 교활함을 피하는 것이 더 좋습니다. 그렇게 함으로써 세상에 순수한 영향력을 남기기 때문입니다. 호화로운 삶을 등지고 소박함과 고요함에서 즐거움을 찾는 것도 더 좋습니다. 그렇게 함으로써 세상에 아름다운 이름을 남기기 때문입니다.

Cai Gen Tan 38)

Por konkeri la demonojn, kiuj venenas viajn pensojn, vi devas antaŭ ĉio konkeri la perversecon en via koro. Se vi estos tion farinta, la demonoj timtremos kaj vin obeos. Por bridi malmoderajn tendencojn, vi devas antaŭ ĉio regi vian impulsiĝemon. Se via koro estos en trankvilo kaj via vivo en harmonio, la eksteraj elementoj

maltrankviligaj ne plu eniĝos en vian
naturon.

채근담 38)

생각을 좀먹는 마귀를 이기려면 먼저 마음 속의
못된 것을 이겨야 합니다. 그렇게 하면 마귀들이 떨
며 따를 것입니다. 지나친 경향을 억제하려면 먼저
충동을 다스려야 합니다. 마음이 평안하고 삶이 조화
롭다면 외부의 방해 요소가 더 이상 본성에 들어오
지 않을 것입니다.

Cai Gen Tan 39)

Instrui junajn estas kiel eduki knabinojn
en buduaro: plej grave estas instrui al ili,
kiel dece teni la ĉiutagan vivon hejme kaj
kiel esti saĝa en amikiĝo kun aliaj ekstere.
Kontaktiĝi kun aĉulo estas kiel semi
malbonan semon en bona kampo -
tiuokaze oni neniam rikoltos bonan
grenon.

채근담 39)

젊은이들을 가르치는 것은 규방의 처녀들을 가르

치는 것과 같습니다. 그들에게 가정에서 일상 생활을
어떻게 품위있게 유지할지, 밖에서 다른 사람들과 교
제할 때 어떻게 지혜롭게 처신할지 가르치는 것이
가장 중요합니다. 찌질한 사람과 만나는 것은 좋은
밭에 나쁜 씨를 뿌리는 것과 같아서 결코 좋은 곡식
을 거두지 못할 것입니다.

Cai Gen Tan 40)

Kiam vi havas ian deziron, ne facilanime
ĝin plenumu nur pro oportuneco; se vi tiel
agos, vi falos en profundan abismon. Kiam
vi serĉas la veron, ne faru eĉ la plej
malagrablan retroiron pro malfacilo; se vi
tiel agos, vi apartigos vin je mil montoj for
de la celo serĉata.

채근담 40)

어떤 소원을 갖고 있을 때 단순히 편리하다고 경
솔하게 이루지 마십시오. 그렇게 하면 깊은 수렁에
빠질 것입니다. 진리를 구할 때 어려움 때문에 가장
기분나쁘게 조금이라도 물러서지 마십시오. 만일 그
렇게 한다면, 찾고 있는 목표에서 천 개의 산이 막
힌 듯 멀리 떨어져 있을 것입니다.

Cai Gen Tan 41)

Se iu grandanime traktas sin mem kaj ankaŭ aliajn kun konsideroj, tiam ĉie ĉirkaŭ li regas grandanimeco. Se iu malgrandanime traktas sin mem kaj ankaŭ aliajn sen konsideroj, tiam ĉie ĉirkaŭ li regas malgrandanimeco. Tial la noblulo devas eviti en sia ĉiutaga vivo kiel troan konsideremon, tiel ankaŭ troan indiferentecon.

채근담 41)

자기 자신과 남을 배려하는 마음으로 너그럽게 대하면 자기 주변의 모든 곳에는 너그러움이 가득합니다. 자기 자신과 남을 배려하지 않고 편협하게 대하면, 그 사람 주변의 모든 곳에는 편협함이 가득합니다. 그렇기 때문에 군자는 일상생활에서 지나친 배려, 지나친 무관심도 피해야 합니다.

Cai Gen Tan 42)

Aliaj havas riĉaĵojn; mi havas spiriton nutritan per moraleco kaj virto. Aliaj havas altan rangon; mi havas senton de justeco. La noblulo, kiu penas perfektigi sian virton, ne devas esti katenita per alta rango kaj grasa salajro. La homo ja kapablas konkeri la Ĉielon.

채근담 42)

다른 사람들은 재물을 가지고 있지만 나는 도덕과 미덕으로 양육된 정신을 가지고 있습니다. 다른 사람들은 높은 지위를 가지고 있지만 나는 정의감이 있습니다. 미덕을 완성하려고 노력하는 군자는 높은 지위와 두둑한 봉급에 얽매여서는 안 됩니다. 사람은 참으로 하늘을 정복할 수 있습니다.

Cai Gen Tan 43)

Peni atingi sukceson sen doni al vi altan celon estas kiel forskui polvon de via vesto en polva aero aŭ kiel lavi viajn piedojn en kota flako. Kiel do vi povas tiamaniere senigi vin je la vulgareco? En via kondutado en la mondo, se vi ne faras cedojn, vi estas kiel nokta papilio fluganta en kandelflamon aŭ kiel virkapro kaptiĝanta per la korno en plektobarilo. Kiel do vi povas tiamaniere trovi pacon kaj kontentecon en la vivo?

채근담 43)

높은 목표를 세우지 않고 성공을 위해 애쓰는 것은 더러운 공기 속에서 옷의 먼지를 털어내는 것과 같고 진흙탕에서 발을 씻는 것과 같습니다. 그러면 어떻게 그런 식으로 저속함을 없앨 수 있습니까? 세상에서 행실에 양보하지 아니하면 촛불 속으로 날아드는 나방과 같고 엮인 울타리에 뿔이 걸린 숫염소와 같습니다. 그러면 어떻게 그런 식으로 삶에서 평화와 만족을 찾을 수 있습니까?

Cai Gen Tan 44)

Tiu, kiu sin dediĉas al lernado, devas kolekti siajn distritajn pensojn kaj koncentri sin sur la studojn. En la kulturado de virto, se la celo estas nur akiri riĉaĵojn kaj famon, la atingoj certe fariĝos vantaj. En la studado, se la tuta intereso kuŝas nur en la recitado de versaĵoj kaj aprezo de beletraĵoj, tiuokaze ankaŭ la pliprofundiĝo fariĝos neebla.

채근담 44)

배움에 전념하는 사람은 산만한 생각을 수집해서 공부에 집중해야 합니다. 덕(德)을 수양하는데 목적이 오직 부귀(富貴)와 명예(名聲)에 있다면 반드시 헛된 것이 됩니다. 연구할 때 시를 읊거나 문학감상에 모든 관심을 쏟는다면 더 깊어질 수 없습니다.

Cai Gen Tan 45)

Ĉiu posedas grandan kompatemon. Buĉistoj kaj eksekutistoj, same kiel la sankta Vimalakirti∗, egale havas tiun ĉi inklinon en sia naturo. Ĉie en la mondo ni povas trovi bonan humoron veran, egale ĉu en luksa domego aŭ en modesta dometo. Nur la avido kaj karna deziro obskurigas nian koron, ke ni preterlasas la grandan kompatemon kaj la bonan humoron. Kvankam la okazo jam sin prezentas al ni vizaĝ-kontraŭ-vizaĝe, tamen en efektiveco ni estas disigitaj for de ĝi je mil lioj!

채근담 45)

모든 사람은 큰 연민을 가지고 있습니다. 비말라키 르티 성자와 같이 짐승을 잡거나 사형을 집행하는 사람도 모두 본성상 이러한 성향을 가지고 있습니다. 전 세계 어디에서나 우리는 호화로운 맨션에서든 소박한 작은 집에서든 진정한 인간성을 찾을 수 있습니다. 탐욕과 육욕만이 우리 마음을 가려 큰 연민과 좋은 인간성을 지나쳐 버리게 합니다. 비록 기회가 직접적으로 생기지만 실제로 우리는 거기서 천 리만큼이나 멀리 떨어져 있습니다!

Cai Gen Tan 46)

Por perfektigi sian virton kaj kulturi sin laŭ la Taŭo, oni devas havi menson rezisteman al eksteraj allogoj, kvazaŭ ĝi estus el ligno aŭ ŝtono. Se oni estas facile tentata de profito kaj famo, oni enkaptiĝos en la reto de materialaj deziroj. Tial tiu, kiu deziras savi la mondon kaj fari bonon al sia regno, devas havi la temperamenton de vaganta bonzo. Se oni estas obsedata de pensoj pri famo kaj riĉeco, oni certe falos en abismon de danĝeroj.

채근담 46)

도에 따라 덕을 완성하고 수양하기 위해서는 마치 목석인 듯 외부의 유혹에 저항하는 마음을 가져야합니다. 이익과 명예의 유혹에 쉽게 넘어가면 물질욕의 그물에 걸리게 됩니다. 그러므로 세상을 구하고 자기 나라에 선을 행하고자 하는 사람은 방황하는 수도사의 기질을 가져야 합니다. 명예와 재물에 대한 생각에 사로잡혀 있으면 반드시 위험의 구렁텅이에 빠지게 됩니다.

Cai Gen Tan 47)

Ne nur la agoj kaj vortoj de bona homo estas serenaj, eĉ en la sonĝoj lia spirito estas en harmonio kaj kvieteco. Koncerne homon malbonan, ne nur liaj agoj estas ferocaj kaj violentaj, eĉ liaj paroloj kaj ridoj perfidas murdemon.

채근담 47)

선한 사람의 행동과 말은 고요할 뿐만 아니라 꿈에서도 정신은 조화롭고 평온합니다. 악한 사람의 행동은 사납고 난폭할 뿐만 아니라 말과 웃음까지도 살기가 담겨있습니다.

Cai Gen Tan 48)

Kiam la hepato suferas malsanon, la okuloj malklariĝas. Kiam la renoj suferas malsanon, la aŭdado difektiĝas. Kvankam la perturboj estas en lokoj nevideblaj, tamen la simptomoj estas percepteblaj por ĉiuj. Tial, se noblulo volas, ke neniaj kulpoj liaj manifestiĝu en lokoj videblaj por ĉiuj, li devas antaŭ ĉio certigi, ke nenio misa estu ĉe li en lokoj kaŝitaj for de la homaj okuloj.

채근담 48)

간이 병들면 눈이 흐려집니다. 콩팥이 병들면 귀가 흐려집니다. 병은 눈에 보이지 않는 곳에 생기지만 증상은 모든 사람이 인지할 수 있습니다. 그러므로 군자는 자신의 허물을 누구라도 볼 수 있는 곳에 드러내고 싶지 않다면 먼저 사람의 눈에서 멀리 숨겨진 곳에 자신의 허물이 없는지 확인해야 합니다.

Cai Gen Tan 49)

Nenia feliĉo estas pli granda ol havi

malmulte da zorgoj. Nenia malfeliĉo estas pli granda ol havi suspektemon. Nur la homo premata de zorgoj scias, ke malmulte da zorgoj alportas feliĉon, kaj nur la homo kun trankvila menso scias, ke suspektemo alportas malfeliĉon.

채근담 49)

작은 근심보다 더 큰 행복은 없습니다. 의심보다 더 큰 불행은 없습니다. 근심에 짓눌린 사람만이 작은 근심이 행복을 가져온다는 것을 알고, 평안한 마음을 가진 사람만이 의심이 불행을 가져온다는 것을 압니다.

Cai Gen Tan 50)

En la tempoj de paco la kondutado de homoj devas esti kvadrateca; en la tempoj de malordo ĝi devas esti rondeca; kaj kiam la regno dekadenciĝas, la agoj de homoj devas esti kaj kvadratecaj kaj rondecaj. Traktante bonulojn, oni devas esti tolerema; traktante malbonulojn, oni devas esti severa; kaj traktante homojn ĝenerale, oni devas esti kaj tolerema kaj severa.

채근담 50)

평화시에는 사람들의 행동이 방정해야 합니다. 혼란할 때는 원만해야 합니다. 그리고 나라가 쇠퇴할 때 인간의 행동은 방정하면서도 원만해야 합니다. 좋은 사람을 대할 때는 관대해야 합니다. 나쁜 사람을 대할 때는 엄격해야 합니다. 일반적으로 사람들을 대할 때는 관대하면서도 엄격해야 합니다.

Cai Gen Tan 51)

Oni devas forgesi siajn bonfarojn donitajn al aliaj kaj samtempe ĉiam teni en la menso siajn kulpojn kontraŭ aliaj. Oni ne devas forgesi la bonfarojn, kiujn aliaj donis al li, kaj la rankoron kontraŭ aliaj tamen ne povas ne forviŝi el sia memoro.

채근담 51)

남에게 베푼 선행은 잊어버리고 남에게 잘못한 것은 늘 마음에 새겨야 합니다. 남이 베푼 선행을 잊지 말아야 하지만, 남에 대한 원한은 기억에서 지우지 않을 수 없습니다.

Cai Gen Tan 52)

Vera bonfaranto ne rigardas sin kiel donanton de bono, nek aliajn kiel ĝiajn ricevantojn. Malgranda mezuro da rizo donacita en tia animstato valoras tiom, kiom tuta grenejo. Sed kiam almozdonanto esperas rekompencon por sia malavaro, eĉ se li fordonas kvantegon da oro, ĝi valoras apenaŭ unu kupreron.

채근담 52)

진정한 선행자는 자신을 착한 주는자로 여기지 않고 다른 사람을 받는 자로 여기지 않습니다. 그런 마음으로 기부한 쌀 한 톨은 곡물창고 전체와 맞먹는 가치가 있습니다. 그러나 거지에게 주면서 자신의 관대함에 대한 보상을 바랄 때 비록 그가 많은 양의 금을 준다고 해도 그것은 거의 구리 동전만한 가치도 없습니다.

Cai Gen Tan 53)

Ĉiu havas siajn proprajn ŝancojn. Unuj sukcesojn atingas, aliaj malsukcesojn suferas. Kiel do oni povas certigi sin, ke oni mem sola sukcesos? Ĉiu kondutas iafoje racie, alifoje neracie. Kiel do oni povas postuli, ke aliaj ĉiam sekvu raciecon? Tiu ĉi rezonado povas esti rigardata kiel racia metodo de memekzameno.

채근담 53)

사람은 모두 각자 기회가 있습니다. 어떤 사람은 성공을 거두고 어떤 사람은 실패를 겪습니다. 그렇다면 자기 혼자 성공할 것이라고 어떻게 확신할 수 있습니까? 사람은 모두 어느때는 합리적으로, 어느때는 비합리적으로 행동합니다. 그렇다면 우리는 어떻게 다른 사람들이 항상 합리성을 따르도록 요구할 수 있습니까? 이러한 추론은 합리적인 자기 성찰의 방법으로 볼 수 있습니다.

Cai Gen Tan 54)

Por studi la verkojn de antikvaj saĝuloj oni devas havi puran moralan karakteron. Alie, oni agus kiel malbonulo, kiu ŝtelus bonajn agojn de la antikvaj induloj, por atingi siajn malhonestajn celojn, kaj citus iliajn saĝajn vortojn, por kaŝi malbonajn

agojn. Tio ja egalus provizi malamikojn per
armiloj aŭ banditojn per nutraĵoj.

채근담 54)

고대 현자의 작품을 연구하려면 순수한 도덕적 성
격이 있어야 합니다. 그렇지 않으면 부정직한 목표를
달성하기 위해 옛 선인에게서 선행을 훔치고, 악행을
숨기기 위해 현명한 말을 인용하는 악인처럼 행동할
것입니다. 그것은 적에게 무기를 공급하거나 도적에
게 식량을 공급하는 것과 같습니다.

Cai Gen Tan 55)

Tiu, kiu diboĉas en riĉa lukso, neniam
estas kontentigita, dum la ŝparemulo, kiu
havas ne sufiĉe, tamen havas pli ol
bezone. Kiel multe pli riĉa la ŝparemulo
estas, ol la diboĉulo!
Kapablulo, kiu tro pene laboras, tamen
vekas nur ĝeneralan envion, dum la
mallertulo vivas komfortan vivon kaj
konservas sian kunnaskitan naturon. Kiel
multe pli saĝa la mallertulo estas, ol la
kapablulo!

채근담 55)

  아주 풍요롭게 사치하는 사람은 결코 만족하지 못
하는 반면, 검소한 사람은가진 것이 충분하지 아니해
도 필요한 것보다 더 많이 소유합니다. 검소한 사람
이 사치하는 사람보다 얼마나 더 부유한가!

  일을 너무 잘하는 능숙한 사람은 부러움만 사고,
서투른 사람은 타고난 본성을 지키며 안락한 생활을
합니다. 서투른 사람이 능숙한 사람보다 얼마나 더
지혜로운가!

Cai Gen Tan 56)

  Tiu, kiu faras studojn sen trapenetri la
sagacon de saĝuloj, egalas nuran
kopiiston. Tiu, kiu okupas postenon de
regna oficisto sen ami la ordinaran
popolon, egalas rabiston en regnoficista
vesto.

  Fari predikadon pri moralo sen doni
personan ekzemplon estas kiel konduto de
bonzo, kiu simple recitas sutrojn sen
kompreni iliajn signifojn. Kariero sekvata
sen konsideri plenumadon de virtaj faroj
estas pasema kiel floroj, kiuj floras kaj
mortas antaŭ niaj okuloj.

채근담 56)

성현의 지혜가 스며들지 않고 학문을 하는 사람은
필사자와 같습니다. 백성을 사랑하지 않고 관직에 있
는 자는 관복을 입은 도적과 같습니다.

사람의 예를 들어 설명하지 않고 도덕을 말하는
것은 경전의 의미를 이해하지 못한 채 독송만 하는
스님과 같습니다. 덕행의 수행을 고려하지 않고 추구
하는 경력은 우리 눈앞에서 피고 지는 꽃처럼 덧없
는 것입니다.

Cai Gen Tan 57)

En ĉies koro estas vera libro. Sed ĝi
estas ŝirita kaj nekompleta, kaj ĝiaj
mesaĝoj estas nebuligitaj. Profunde en ĉies
spirito estas bela melodio, sed ĝi estas
obtuzigita de lascivaj tonoj. Tiu, kiu serĉas
sciojn, devas rezisti al ĉiaj eksteraj
materialaj tentoj kaj peni serĉi la esencon
de la homa naturo. Nur tiel li povos akiri
vere utilajn sciojn.

채근담 57)

모든 사람의 마음 속에는 진정한 책이 있습니다.

그러나 그것은 찢어지고 불완전하며 그 메시지는 흐릿합니다. 모든 사람의 영혼 깊은 곳에는 아름다운 선율이 있지만 음란한 음조에 가려져 있습니다. 지식을 추구하는 사람은 외부의 모든 물질적 유혹에 저항하고 인간 본성의 본질을 추구하기 위해 노력해야 합니다. 그래야만 정말 유용한 지식을 얻을 수 있습니다.

Cai Gen Tan 58)

Ĝojo estas ofte trovata meze de malgajoj, kaj malgajo povas estiĝi en dezirplenumo.

채근담 58)

기쁨은 슬픔 가운데서 자주 나타나고 슬픔은 소원대로 이뤄질 때 생길 수 있습니다.

Cai Gen Tan 59)

Se la riĉo, rango kaj reputacio venas el alta virto, ili estas kiel sovaĝaj floroj, kiuj floras nature kaj libere sur la montoj kaj en arbaroj; Se ili estas la rezulto de ies meritoj, ili estas kiel floroj kultivataj en bedo, kiuj havas tempon por flori kaj tempon por velki. Se ili estas fruktoj de manipulado de potenco, ili estas kiel floroj kreskigataj en potoj: iliaj radikoj estas ne profunde enradikiĝintaj, kaj ili simple atendas la tagon de forvelko.

채근담 59)

부귀와 지위와 명성이 높은 덕에서 나온다면 그것은 마치 산과 숲에 자연히 자유롭게 피어나는 들꽃과 같습니다. 누군가의 공덕의 결과라면 꽃은 피울 때가 있고 시들 때가 있는 화단에서 자란 꽃과 같습니다. 권력의 산물이라면 화분에 심은 꽃과 같아서 뿌리가 깊지 않아서 시들 날을 기다릴 뿐입니다.

Cai Gen Tan 60)

Kiam printempo venas, la vetero mildiĝas. Floroj floras tapiŝante la teron, kaj la birdoj kantas belajn laŭdkantojn. Se klerulo, kiu feliĉe trovis sian nomon sur la listo de la sukcesintaj kandidatoj al la imperia ekzameno kaj vivas en abundeco, ne turnas sian atenton al verkado de bonaj libroj, nek al plenumo de bonaj faroj, eĉ se li vivus cent jarojn, lia vivo ne estus pli multe signifa, ol la vivdaŭro de malpli ol unu tago.

채근담 60)

봄이 오면 날씨가 부드러워집니다. 꽃은 온 땅에 피고 새들은 아름다운 노래를 부릅니다. 운 좋게 과거 합격자 명단에 이름을 올려 부유하게 사는 학자가 좋은 책을 쓰지 않고 선행을 하지 않는다면 비록 백년을 산들 그의 삶은 하루 미만의 수명보다 훨씬 더 의미가 없을 것입니다.

Cai Gen Tan 61)

Klerulo devas havi ne nur diligentemon sed ankaŭ elegantajn gustojn. Se li konstante bridus siajn pensojn kaj agojn per rigoreco, tiam li, kiu estus kvazaŭ en kadukeco de severa malfrua aŭtuno, estus tute senigita je printempa vigleco. Kiel do li povus tiuokaze helpi prosperigi la universon?

채근담 61)

선비는 근면함만이 아니라 고상한 취향도 갖추어

야 합니다. 끊임없이 자신의 생각과 행동을 엄격하게 억제한다면 늦가을의 심한 쇠퇴기처럼 봄의 활력을 완전히 없앨 것입니다. 그렇다면 그때 우주를 번영시키는 데 어찌 도움을 줄 수 있겠습니까?

Cai Gen Tan 62)

La vere honesta homo ne penas akiri al si reputacion de honestulo; nur la avidulo avidas tian reputacion. La vere granda lertulo ne uzas artifikojn; nur mallertulo faras tian uzon por kaŝi sian mallertecon.

채근담 62)

참으로 정직한 사람은 정직한 사람이라는 평판을 얻으려고 애쓰지 않습니다. 탐욕스러운 사람만이 그런 평판을 탐냅니다. 진정으로 뛰어난 기술자는 기교를 사용하지 않습니다. 서투른 사람만이 자신의 서투름을 숨기기 위해 그러한 수단을 사용합니다.

Cai Gen Tan 63)

La ĉji*-vazo reversiĝas tiam, kiam ĝi estas plenigita per akvo.
La argila ŝparmonujo restas nedifektita

tiam, kiam ĝi ne estas plenigita per mono. Tial, la noblulo preferas senagadon∗ al konkurado, kaj nekompletecon al plena kompleteco.

∗ĉji-vazo : vazo uzata por teni akvon en la antikva Ĉinio.

∗senagado : ĉi tio estas unu el la plej gravaj nocioj en la filozofio de Laŭzi, kiu signifas fari nenian agon kontraŭan al la naturo.

채근담 63)

물병은 물을 채우면 뒤집힙니다.

흙으로 만든 저금통은 돈이 채워지지 않으면 손상되지 않습니다. 그러므로 군자는 경쟁보다 무위를, 온전함보다 불완전함을 더 좋아합니다.

*물병: 고대 중국에서 물을 담는 그릇.

*무위: 이것은 노자 철학에서 가장 중요한 개념 중 하나이며, 자연에 반하는 행위를 하지 않는다는 의미입니다.

Cai Gen Tan 64)

Tiu, kiu ne plene forigas el si la radikojn de famo kaj riĉeco, eĉ se li malŝatas grandegan riĉecon kaj prefere vivas simplan vivon, finfine ne povos esti libera de la monda vulgareco. Tiu, kiu ne plene forigas el sia naturo ĉiajn malbonajn influojn eksterajn, eĉ se liaj bonfaroj etendiĝas al la tuta mondo kaj meritos dankojn dum dek mil generacioj, finfine pruviĝos ne pli ol faranto de artifikaj gestoj vanaj.

채근담 64)

명예와 부유의 뿌리를 스스로 완전히 제거하지 못하는 사람은 큰 부유를 싫어하고 검소한 삶을 추구하더라도 결국 세상의 천박함에서 자유롭지 못할 것입니다. 본성에서 온갖 악한 외적 영향을 완전히 제거하지 못하는 사람은 자기 선행이 온 천하에 이르고 만세에 감사를 받을지라도 결국 쓸모없는 인위적 행동을 하는 것과 다르지 않음을 입증할 따름입니다.

Cai Gen Tan 65)

Se homo havas pensojn helajn kaj
klarajn, lia koro estas brila kiel taglumo eĉ
tiam, kiam li estas en malluma loko. Sed
se liaj pensoj ne estas helaj, nek klaraj, lia
koro estas obsedata de malbonaj spiritoj
eĉ tiam, kiam li estas en la sunlumo.

채근담 65)

사람이 생각이 밝고 분명하면 어두운 곳에 있어도
마음이 대낮같이 밝습니다. 그러나 생각이 밝지 않고
분명하지 못하면 햇빛 아래 있어도 마음에 악신이
들린 것입니다.

Cai Gen Tan 66)

Oni scias, ke famo kaj rango alportas
feliĉon al homoj, sed oni ne scias, ke la
plej feliĉaj homoj estas tiuj, kiuj havas nek
famon, nek rangon. Oni scias, ke malsato
kaj malvarmo estas la kaŭzo de
maltrankvilo, sed oni ne scias, ke ekzistas
la kaŭzo de alia maltrankvilo eĉ pli
granda.

채근담 66)

명예와 지위가 사람들을 행복하게 한다는 것은 알지만, 가장 행복한 사람이 명예와 지위가 없는 사람이라는 것은 모릅니다. 배고픔과 추위가 불안의 원인이라고 알지만, 이보다 더 큰 불안의 원인이 있음은 모릅니다.

Cai Gen Tan 67)

Se homo faras malbonon kaj timas, ke aliaj ĝin ekscios, tio montras, ke malgraŭ sia malbonfaremo li tamen havas konsciencon. Se homo faras bonon kaj deziregas, ke aliaj ĝin eksciu, tio montras, ke en lia bonfaremo kaŝiĝas emo al malbono.

채근담 67)

어떤 사람이 악을 행하고 다른 사람들이 그 사실을 알아차릴까 두려워한다면, 이것은 악행에도 불구하고 여전히 양심이 있음을 보여줍니다. 어떤 사람이 선을 행하고 그것을 다른 사람들이 알도록 간절히 원한다면, 이것은 선행에 나쁜 의도가 숨겨져 있음을 보여줍니다.

Cai Gen Tan 68)

La volo de la Sinjoro de Ĉielo, kiu regas la universon, estas nesondebla. Iafoje ĝi igas homon barakti kontraŭ malfeliĉo, alifoje ĝi donas al li favorajn cirkonstancojn. Tio montras, ke Ĉielo havas la potencon krei aŭ rompi heroojn kaj elstarulojn.

Se noblulo povas elteni portempan malsukceson, kiun li suferas, kaj se li tenas en la menso la eblan alproksimiĝon de danĝero en tempoj de sekureco, tiam eĉ la Sinjoro de Ĉielo estas senpova kontraŭ li.

채근담 68)

우주를 다스리는 천주님의 뜻은 측량할 수 없습니다. 때로는 사람을 불행과 싸우게 하고, 다른 때에는 좋은 환경을 제공합니다. 이것은 하늘이 영웅과 위인을 만들거나 부술 수 있는 힘을 가지고 있음을 보여줍니다.

군자가 고통스런 일시적인 좌절을 견디고 안전할 때 위험이 닥칠 수 있음을 염두에 둔다면 천주님이라도 군자에게는 무능력할 것입니다.

Cai Gen Tan 69)

Kolerema homo estas kiel arda flamo; kion ajn li renkontas, tion li kvazaŭ volas ekbruligi. Homo sen bonfaremo estas kiel malvarma glacio; kion ajn li renkontas, al tio li volas kruele fari malutilon.

Homo obstina kaj rigida estas kiel stagnanta akvo aŭ putra ligno, kiu jam perdis la tutan vivoforton; kion ajn li faras, li trovas neebla aliri al si meritojn kaj daŭrigi sian feliĉon.

채근담 69)

화를 잘 내는 사람은 타오르는 불꽃과 같습니다. 무엇을 만나든 불을 지르고 싶어하는 것 같습니다. 사랑이 없는 사람은 차가운 얼음과 같습니다. 무엇을 만나든지 잔인한 해를 입히고 싶어합니다.

완고하고 딱딱한 사람은 고인 물이나 이미 생명력을 잃은 썩은 나무와 같습니다. 무엇을 하든 가치를 세우고 행복을 유지하는 것이 불가능하다는 것을 알게 됩니다.

Cai Gen Tan 70)

Feliĉo ne estas serĉebla; nur konservante en si la bonan humoron, oni povas alvoki ĝin al si. Malfeliĉo ne estas evitebla; nur forigante el si ĉiajn intencojn malutili aliajn, oni povas forteni sin de ĝi.

채근담 70)

행복은 찾을 수 있는 것이 아닙니다. 좋은 기분을 유지해야만 불러올 수 있습니다. 불행은 피할 수 있는 것이 아닙니다. 다른 사람을 해치려는 모든 의도를 제거해야만 거기에서 벗어날 수 있습니다.

Cai Gen Tan 71)

Se el dek diroj naŭ estas ĝustaj, oni ne nepre laŭdos vin kiel geniulon; kontraŭe, oni ĵetos mallaŭdojn sur vin nur pro la diro malĝusta. Se vi faras dek planojn kaj naŭ el ili sukcesas, oni ne nepre laŭdos vin pro via sagaco; kontraŭe, oni ĵetos riproĉojn sur vin nur pro la plano malsukcesa. Jen kial la noblulo gardas sian silenton kaj evitas facilanimajn agojn, kaj preferas ŝajni stulta ol saĝa.

채근담 71)

열 마디 말에 아홉이 맞다고 해서 반드시 천재로 칭찬받는 것은 아닙니다. 오히려 잘못된 말 때문에 비난을 받을 것입니다. 열 가지 계획을 세워 아홉 가지가 성공했다면 현명하다고 반드시 칭찬받는 것은 아닙니다. 오히려 실패한 계획때문에 비난을 받을 것입니다. 그래서 군자는 침묵을 지키고 경솔한 행동을 피하며, 현명하기보다는 어리석게 보이기를 더 좋아합니다.

Cai Gen Tan 72)

Kiam estas varme, la varmo akcelas la kreskadon de ĉiuj estaĵoj; kiam estas malvarme, la malvarmo malvigligas la vivoforton de ĉiuj estaĵoj.

Tial tiu, kiu estas malvarma en la naturo, ricevas malmulte el sia vivoĝuo, dum tiu, kiu estas varma en la naturo, ĝuas abundan feliĉon kaj ricevas konstantan fluon de boneco.

채근담 72)

따뜻할 때 열은 모든 생물의 성장을 촉진합니다. 추울 때 추위는 모든 생물의 생명력을 약화시킵니다. 그래서 성품이 따뜻한 사람은 행복을 많이 누리고 착한 흐름이 끊임없이 이어지지만, 성품이 차가운 사람은 행복을 거의 누릴 수 없습니다.

Cai Gen Tan 73)

La vojo de la Ĉiela justeco estas larĝa; se via koro estos inklina, eĉ nur iomete, sekvi tiun vojon, tiam vi trovos vin pli grandanima kaj optimisma. La vojo de la homa deziro estas mallarĝa; se vi iam riskos ekiri sur ĝin, tuj vi vidos nenion alian ol dornajn arbetaĵojn kaj koton antaŭ vi.

채근담 73)

하늘의 바른 도리의 길은 넓습니다. 당신의 마음이 조금이라도 그 길을 따르려고 한다면, 당신은 더 관대하고 낙관적이라는 것을 알게 될 것입니다. 사람의 욕망의 길은 좁습니다. 만약 당신이 언젠가 그길로 가려고 위험을 감수한다면, 즉시 당신 앞에 가시덤불과 진흙 외에는 아무것도 볼 수 없을 것입니다.

Cai Gen Tan 74)

Ripetada sinhardado per alterno de ĝojo kaj malĝojo ebligas al homo ĝui longedaŭran feliĉon. Ripetadaj esploroj kaj kontroloj en la procezo de dubo al kredo kaj de kredo al dubo ebligas al homo akiri verajn sciojn.

채근담 74)

기쁨과 슬픔이 번갈아 가며 반복되는 인내를 통해 사람은 오랫동안 행복을 누릴 수 있습니다. 의심에서 믿음으로, 믿음에서 의심으로 이어지는 과정에서 반복되는 조사와 점검을 통해 사람은 참된 지식을 얻을 수 있습니다.

Cai Gen Tan 75)

La homa koro devas esti libera de ĉiaj materialaj deziroj, por ke ĝi povu esti loĝata de justeco kaj honesteco; la homa koro devas esti plena de justeco kaj honesteco, por ke neniaj materialaj deziroj povu ĝin invadi.

인간의 마음은 정의와 정직이 거할 수 있도록 모든 물질적 욕망에서 자유로워야 합니다. 인간의 마음은 물질적 욕망이 조금이라도 침범할 수 없도록 정의와 정직으로 가득 차야 합니다.

Cai Gen Tan 76)

Vivaj estaĵoj abunde naskiĝas en malpuraj lokoj. Neniaj fiŝoj estas trovataj en akvo tro klara. Tial, la noblulo devas esti larĝaspirita kaj tolerema. Li ne devus admiri sian absolutan animpurecon, kiu lin izolus.

채근담 76)

생명체는 더러운 곳에서 많이 태어납니다. 너무 맑은 물에는 물고기가 없습니다. 그러므로 군자는 마음이 넓고 아량이 있어야 합니다. 자신을 고립시킬 수 있는 영혼의 절대적인 순수함에 감탄해서는 안 됩니다.

Cai Gen Tan 77)

Ardema ĉevalo povas esti dresita por rajdo. Gutoj de fandita metalo elŝprucigitaj finfine estas enigitaj en muldilon. Tiu, kiu estas mallaborema kaj tute ne havas entuziasmon, faros nenian progreson dum sia vivo. Iam diris la ermito Baisha∗: "Fari erarojn estas parto de homa naturo kaj ne devas esti kaŭzo por honto. Tio, kio pleje maltrankviligas min, estas nenio alia, ol ke mi havus neniajn erarojn malkaŝitaj dum mia tuta vivo." Kiel pravaj estas liaj vortoj!

∗Baisha   :   klerulo   de Ming-dinastio(1368-1644)   nomata   Chen Xianzhang. Ĉar li vivis kiel ermito en Bajshali   en   orienta   Xinhui, Guangdong-provinco, li estis vaste konata kiel S-ro Baisha.

채근담 77)

열렬한 말은 승마 훈련을 받을 수 있습니다. 녹아서 분출된 금속 방울이 마침내 금형에 들어갑니다. 게으르고 의욕이 전혀 없는 사람은 인생에서 진전이 없을 것입니다. 한때 은둔자 백사가 말했습니다. "실수는 인간 본성의 일부이며 부끄러운 일이 되어서는 안 됩니다. 가장 걱정되는 것은 평생 동안 실수가 드러나지 않는 것입니다." 얼마나 옳은 말입니까!

*백사: 명나라(1368-1644)의 학자 진헌장. 광동(廣東)성 동부 신후이(新徽)의 백사리(百沙里)에서 은둔 생활을 했기 때문에 백사(白沙) 선생으로 널리 알려졌다.

Cai Gen Tan 78)

Se nur iometo da avideco kaj egoismo eniras en la kapon de homo, lia antaǔa ŝtaleca naturo fariĝos mola kaj malforta, lia inteligenteco ŝtopiĝos kaj lia kapo konfuziĝos, lia kompatemo fariĝos krueleco, lia pura spirito kotiĝos, kaj la virto, kiun li akumulis dum sia vivo, vane perdiĝos. Jen kial la antikvuloj rigardas "Ne estu avida" kiel altvaloran maksimon por kulturado de la morala karaktero, kaj per ĝi ili penis venki siajn troajn materialajn dezirojn dum la tuta vivo.

채근담 78)

조금이라도 탐욕과 이기심이 생각에 들어오면 예전의 강하던 성품은 연약해지고, 지성은 막혀 머리가 어지러워지며, 자비심은 잔인함이 되고, 순수한 정신은 흐려지고, 평생 쌓은 것이 헛되이 사라질 것입니다. 그렇기 때문에 옛 사람들은 '탐욕을 부리지 말라'는 것을 품성을 기르는 소중한 격언으로 여기고, 지나친 물질적 욕망을 극복하고자 평생 노력했습니다.

Cai Gen Tan 79)

La oreloj povas aŭdi lascivajn sonojn; la okuloj povas esti blindumitaj de beleco. Tiuj ĉi du estas malamikoj entrudiĝantaj de ekstere, dum sentoj kaj deziroj estas malamikoj kaŝiĝantaj interne.

Se vi ĉiam estas la mastro de vi mem kaj fidelas al viaj principoj, ĉiam tenante vin viglatente kontraŭ tiuj ĉi malamikoj, tiam la malamikoj fariĝos viaj servistoj kaj helpantoj.

채근담 79)

귀는 음란한 소리를 들을 수 있습니다. 아름다움에

눈이 멀 수 있습니다. 이 두 가지는 외부에서 침입하는 적이며 감정과 욕망은 내부에 숨어있는 적입니다.

항상 자신의 주인이 되고 원칙에 충실하고 늘 이런 적들에 대해 경계한다면 적들은 종과 조력자가 될 것입니다.

Cai Gen Tan 80)

Pli bone estas konservi kaj etendi kion vi jam atingis, ol plani estontajn taskojn necertajn. Pli bone estas gardi sin kontraŭ eraroj estontaj, ol malŝpari sian tempon bedaŭrante la antaŭajn.

채근담 80)

불확실한 미래의 일을 계획하는 것보다 이미 달성한 것을 유지하고 늘리는 것이 좋습니다. 이전 실수를 후회하며 시간을 낭비하는 것보다 미래의 실수를 방지하는 것이 좋습니다.

Cai Gen Tan 81)

La spirito de homo devas esti altaj kaj larĝaj, sed ne senbridaj. Liaj pensoj devas esti detalemaj kaj subtilaj, sed ne pedantaj.

Lia temperamento devas esti kvieta kaj simpla, sed ne sengusta. Liaj agoj devas esti honestaj kaj bonordaj, sed ne ekstremaj.

채근담 81)

사람의 정신은 높고 넓어야 하지만 멋대로해서는 안됩니다. 생각은 상세하고 미묘해야 하지만 좁쌀영 감같아서는 안됩니다. 기질은 조용하고 단순하지만 무미건조해서는 안됩니다. 행동은 정직하고 바르게 해야 하지만 치우쳐서는 안됩니다.

Cai gen Tan 82)

Kiam la vento ekblovas tra inter maldense kreskantaj bambuoj, ĝi aŭdigas susurajn sonojn. Sed tuj kiam ĝi pasas, ĝi postlasas nenian sonon, kaj silento denove regas inter la bambuoj. Kiam sovaĝa ansero superflugas lageton en vintro, ĝia reflektita bildo estas vidata en la akvo. Sed tuj kiam la ansero pasas, ĝia reflektita bildo malaperas. Tial la noblulo montras sian naturan dispozicion nur tiam, kiam li koncentras sin sur la aferon, kiu sin prezentas. Sed kiam la afero jam apartenas al la pasinteco, lia menso revenas al la kvieteco kaj ripozo.

채근담 82)

듬성듬성 자라는 대나무 사이로 바람이 불면 바스 락거리는 소리가 납니다. 그러나 지나가자마자 아무 소리도 남기지 않고 다시 대나무 사이에 침묵이 지 배합니다. 겨울에 기러기가 연못 위를 날면 물에 비 친 기러기의 모습이 보입니다. 그러나 기러기가 지나 가자마자 비친 모습은 사라집니다. 그렇기 때문에 군 자는 눈앞에 보이는 일에 집중할 때만 본성(天性)을 드러냅니다. 그러나 그 일이 이미 과거가 되면 군자 의 마음은 고요와 안식으로 돌아갑니다.

Cai Gen Tan 83)

Havi koron puran kaj honestan kaj tamen esti tolerema al ĉiu kaj ĉio; havi bonkorecon kaj tamen kapabli rezolute fari decidojn; havi klaran vidadon kaj tamen povi sin deteni de juĝoj tro severaj; esti honesta kaj malkaŝema kaj tamen scii sin regi por ne transpasi siajn proprajn limojn. — Jen ĉio, kio estas kiel konfitaĵo ne tro dolĉa aŭ frandaĵo el maro ne tro sala, devas servi kiel kondutreguloj por virtuloj.

채근담 83)

순수하고 정직한 마음을 가지면서도 모든 사람과 모든 것에 관대하고, 착하면서도 단호하게 결정을 내릴 수 있고, 명확한 비전을 가지면서도 너무 가혹한 판단을 자제할 수 있고, 정직하고 개방적이지만 자신의 한계를 넘지 않도록 자신을 통제하는 방법을 알고 있습니다. 즉 너무 달지 않은 잼이나 너무 짜지 않은 해산물같이이 모든 것은 의인의 행동 규범이 되어야 합니다.

Cai Gen Tan 84)

La malriĉa homo balaas sian plankon ĝis senpolveco. La malriĉa virino kombas sian hararon ĝis bonordo. Tiaj agoj, kvankam ne donantaj luksan aspekton, tamen elspiras ian elegantecon. Tial, laŭ tio, kiel do nobla klerulo povas senkuraĝiĝi kaj forlasi siajn ambiciojn tiam, kiam li estas reduktita al mizero?

채근담 84)

가난한 사람은 먼지가 없을 때까지 바닥을 씁니다. 가난한 여자는 단정할 때까지 머리를 빗습니다. 이러한 행동은 화려한 외관을 제공하지는 않더라도 어떤 우아함을 발산합니다. 그러므로 이에 따르면 군자가 곤경에 처했을 때 어찌하여 낙담하고 야망을 버리겠습니까?

Cai Gen Tan 85)

Se en senokupeco oni ne lasas la tempon vane forpasi, oni profitos multe dum sia multokupiteco. Se en trankvileco oni ne lasas sian menson malplena, oni profitos multe dum sia penlaborado. Se en privateco oni povas rezisti al ĉiaj tentoj, oni profitos multe en publikeco.

채근담 85)

한가로울 때 시간을 헛되이 보내지 않는다면 바쁠 때 유익이 클 것입니다. 고요 속에서 마음을 비우지 않는다면, 수고하는 동안 유익이 클 것입니다. 사생활에서 모든 유혹을 물리칠 수 있다면 공적인 삶에서 유익이 클 것입니다.

Cai Gen Tan 86)

Tuj kiam vi trovas viajn pensojn inklinaj al la vojo de materialaj deziroj, returnu vin sur la vojon de konservo de via simpla naturo. Tuj kiam vi konsciiĝas, ke malbonaj pensoj obsedas vian menson, returnu vin de ili tute senhezite. Tiamaniere vi povas turni malfeliĉon en feliĉon kaj repreni la vivon el la faŭko de morto. Vi do nepre ne lasu forgliti tiajn okazojn.

채근담 86)

생각이 물질적 욕망의 길로 향하는 것을 발견하면, 순박한 본성을 보존하는 길로 되돌아가십시오. 나쁜 생각이 마음을 사로잡는다는 것을 알게 되면 주저 없이 그 생각을 멀리하십시오. 이렇게 하면 불행을 행복으로 바꿀 수 있고 죽음의 구렁텅이에서 생명을 되찾을 수 있습니다. 그러므로 그러한 기회를 절대로 지나쳐버리지 말아야 합니다.

Cai Gen Tan 87)

En kvieteco la pensoj de homo estas

klaraj kiel akvo, kaj lia vera koro povas esti vidata ĝis la fundo. En senzorgaj momentoj la spirito kaj sinteno de homo estas senhastaj, kaj lia vera motivo povas esti konata. Ĉasante nek famon, nek riĉecon, li estas modesta kaj afabla, kaj li povas trovi verajn intereson kaj guston en sia koro. En la ekzameno de la homa naturo kaj en la kulturado de la morala karaktero, nenio estas pli bona, ol la supre diritaj manieroj.

채근담 87)

고요한 가운데 사람의 생각은 물처럼 맑고 진심은 바닥까지 보입니다. 걱정없는 순간에 사람의 정신과 태도는 서두르지 않으며 진정한 동기를 알 수 있습니다. 명예도 부도 쫓지 않고 겸손하고 착하며 마음에서 진정한 관심과 취향을 찾을 수 있습니다. 인간의 본성을 고찰하고 도덕적 품성을 계발하는 데 위에서 언급한 방법보다 더 좋은 것은 없습니다.

Cai Gen Tan 88)

Se vi povas teni kvietecon en senbrua loko, tia kvieteco ne havas veran sencon;

nur la kvieteco, kiu estas tenata en brueco, estas en plena akordo kun la homa natura karaktero. Se vi sentas vin feliĉa en ĝoja okazo, tio ne estas feliĉo en la vera senco; nur la feliĉo, kiu estas akirita en mizero, estas en plena akordo kun la homa natura temperamento.

채근담 88)

조용한 곳에서 고요함을 유지할 줄 안다면 그러한 고요함은 진정한 의미가 없습니다. 시끄러운 곳에서 유지되는 고요함만이 인간의 본성과 완전한 조화를 이룹니다. 즐거운 일에 행복을 느낀다면 그것은 진정한 의미의 행복이 아닙니다. 괴로운 일에서 얻은 행복만이 인간의 타고난 기질과 완전한 조화를 이룹니다.

Cai Gen Tan 89)

Kiam vi devas oferi viajn proprajn interesojn, estas grave ne havi nedecideman menson. Tia hezitemo povus multe hontigi vian sinoferan spiriton. Kiam vi donas almozon, vi esperu nenian repagon de la ricevanto. — Tio nur makulus vian originan bonkorecon.

채근담 89)

자신의 이익을 희생해야 할 때 우유부단한 마음을 갖지 않는 것이 중요합니다. 그러한 망설임은 자기 희생 정신을 크게 부끄럽게 만들 수 있습니다. 누구를 도울 때, 받는 사람에게 보상을 기대하지 말아야 합니다. ― 기대하면 원래의 착한 마음을 더럽힐 뿐입니다.

Cai Gen Tan 90)

Se la Ĉielo donas al mi malmulte da feliĉo, mi altigos mian virton por kompletigi tiun ĉi porcieton. Se la Ĉielo trudas pezajn penadojn kaj suferojn sur mian korpon, mi gajigos mian koron por mildigi la turmentojn. Se la Ĉielo sendas katastrofojn sur min, mi plibonigos mian moralecon por glatigi mian vojon al la perfekteco. ― Tiam, kion do la Ĉielo povos fari kontraŭ mi?

채근담 90)

하늘이 나에게 행복을 조금 준다면 이 작은 몫을
다 채우려고 덕을 높이겠습니다. 하늘이 내 몸에 무
거운 수고와 고통을 더한다면 괴로움을 줄이려고 마
음을 편하게 하겠습니다. 하늘이 나에게 재난을 내리
면 나는 완성에 이르는 길을 순조롭게 하려고 도덕
성을 개선하겠습니다. - 그러면 그때 하늘이 나에게
무엇을 할 수 있겠습니까?

Cai Gen Tan 91)

La morala homo ne petas feliĉon, sed la
Ĉielo, sen lia scio, plenumas liajn korajn
dezirojn. La malica homo ĉiel penas eviti
katastrofojn, sed malgraŭe la Ĉielo senigas
lin je lia prudento kaj sendas katastrofojn
sur lin. El tio ni povas vidi, ke la sagaco
kaj potenco de la Ĉielo estas nesondeblaj.
- Al kio do la homaj limigitaj fortoj kaj
saĝeco povas esti utilaj?

채근담 91)

착한 사람은 행복을 구하지 않지만 하늘은 모르는
사이에 마음의 소원을 들어줍니다. 나쁜사람은 온갖

방법을 다해 재앙을 피하려 하지만, 그럼에도 하늘은 이성을 빼앗아 재앙을 내리게 합니다. 이것에서 우리는 하늘의 지혜와 능력이 측량하기 어려움을 볼줄 압니다. - 그럼 인간의 제한된 힘과 지혜가 어찌 유익하겠습니까?

Cai Gen Tan 92)

Se, en sia malfrua vivo, prostituitino edziniĝas en bonan familion, la malĉasteco de ŝia pasinta vivo estas por ŝi nenia malhelpo. Se virino, kiu gardas sian ĉastecon en sia vidvineco, perdas ĝin en sia posta vivo, la tuta virto, kiun ŝi akumulis, estas tute forĵetita.

Proverbo diras: "Juĝante homon, rigardu liajn postajn jarojn." Tio ja estas vere sagaca konsilo!

채근담 92)

기생이 말년에 좋은 집안에 시집가면 전날의 난잡함이 걸림돌이 되지 않습니다. 과부로 정조를 지킨 여자가 말년에 정조를 잃으면 그동안 쌓아온 덕은 다 버려집니다.

속담에 "사람을 판단할 때에 그 말년을 보라" 는

말이 있습니다. 참으로 지혜로운 충고입니다!

Cai Gen Tan 93)

Se ordinara homo nur volonte akumulas
virton per plenumado de bonaj faroj, li
estas duko aŭ ministro sen titolo kaj
posteno, kaj ĉiu lin respektas. Se altranga
grandsinjoro faras nenion alian ol pliigi
siajn potencon kaj riĉecon aŭ peti
patronadon de potenculoj, li estas nenio
pli ol almozpetanto kun titolita rango.

채근담 93)

평범한 사람이 착한 일을 행하여 즐겨 덕을 쌓는
다면 공작이나 신하와 같은 칭호와 지위가 없어도
모든 사람의 존경을 받습니다. 높은 대신이 자신의
권력과 재산을 늘리거나 권력자에게 후원을 요구하
는 일만 행한다면, 지위를 가진 거지에 지나지 않습
니다.

Cai Gen Tan 94)

Kiam ni konsideras la fakton, ke la
meritoj, de kiuj ni nun profitas, estis

kreitaj de niaj prapatroj, ni devas esti dankemaj al ili pro la meritokrea malfacileco. Kiam ni volas scii, kian feliĉon ĝuos niaj posteuloj, ni devas konsideri, kiajn meritojn ni lasos al ili, kaj kiel facile estos por ili perdi ĉion, kion ni heredigos al ili.

채근담 94)

지금 우리가 누리고 있는 공덕이 우리 조상들에 의해 만들어진 것임을 생각할 때, 우리는 공덕 만들기의 어려움에 대해 조상들에게 감사해야 합니다. 우리의 후손들이 어떤 행복을 누리게 될지 알고 싶다면 우리가 그들에게 어떤 공덕을 물려줄 것인지, 그리고 우리가 물려줄 모든 것을 그들이 얼마나 쉽게 잃어버릴 것인지를 생각해야 합니다.

Cai Gen Tan 95)

Falsa virtulo, kiu ŝajnigas sin bonfaranto, estas tute ne diferenca de egoisma kanajlo; kiam virtulo forlasas siajn moralajn principojn, li ne estas pli bona, ol la malbonulo, kiu sin korektis kaj fariĝis nova homo.

채근담 95)

거짓 군자는 좋은 일을 하는 척하여 이기적인 악
당과 다르지 않습니다. 군자가 도덕 원칙을 버린다면
자신을 바로잡고 새 사람이 된 악인보다 나을 것이
없습니다.

Cai Gen Tan 96)

Kiam familiano kulpas, ne estas dece
ekkoleregi kontraŭ li, nek lasi tion
neglektata. Pli bone estas uzi analogion
por lumigi al li lian kulpon, ol rekte
riproĉi lin. Se tio ne efikas, estas
preferinde atendi ĝis alia, pli konvena,
okazo sin prezentos, por admoni la
kulpinton. Tiu ĉi maniero, same kiel la
printempa vento, kiu degeligas la
frostiĝintan teron, aŭ kiel la zefiro, kiu
fandas la glacion, estas modelo por trakti
familiajn aferojn.

채근담 96)

가족의 잘못이 있을 때 화를 내거나 방치하는 것
은 옳지 않습니다. 직접 질책하는 것보다 죄를 깨닫

게 하기 위해 비유를 사용하는 것이 더 낫습니다. 이
것이 불가능하다면 죄인을 훈계하기 위해 다른 더
적당한 기회가 나타날 때까지 기다리는 것이 좋습니
다. 얼어붙은 땅을 녹이는 봄바람이나 얼음을 녹이는
미풍처럼 하는 방법이 가정사를 대하는 본보기가 됩
니다.

Cai Gen Tan 97)

Se oni rigardus ĉion perfekta, tiam ĉio
en la mondo nature fariĝus sendifekta. Se
oni farus sian koron malkaŝema kaj
trankvila, tiam ĉiaj insidoj kaj ruzoj nature
malaperus.

채근담 97)

모든 것을 완벽하게 본다면 세상의 모든 것은 자
연히 온전할 것입니다. 마음을 열어 너그럽고 평안하
게 하면 모든 간계와 책략이 자연스럽게 사라질 것
입니다.

Cai Gen Tan 98)

Estas neeviteble, ke honestulo, kiu ĉasas
nek famon, nek riĉecon, vekas envion ĉe

homoj, kiuj estas avidaj je tiaĵoj. Estas neeviteble, ke homo, kiu estas singarda en siaj paroloj kaj konduto, elvokas malŝaton ĉe homoj, kiuj malrespektas la sociajn konvenciojn.

Tial, en tiaj cirkonstancoj, la noblulo devas neniel aliigi siajn altajn

moralajn principojn, nek montri siajn talentojn en agresa maniero.

채근담 98)

명예도 돈도 좇지 않는 정직한 사람은 그런 것을 탐하는 사람들의 부러움을 살 수밖에 없습니다. 말과 행동이 조심스러운 사람은 사회적 관습을 무시하는 사람들의 싫어함을 불러일으킬 수밖에 없습니다.

그러므로 그러한 상황에서 군자는 결코 높은 도덕 적 원칙을 변경해서는 안되며

공격적인 방식으로 재능을 발휘하지 않아야 합니 다.

Cai Gen Tan 99)

Kiam homo trovas sin en malfavoraj cirkonstancoj, ĉio, kion li renkontas, havas la efikon de la akupunkturo per ŝtona pinglo kaj amara medikamento. Tiaj pinglo kaj medikamento servas por kulturi lian karakteron kaj plibonigi lian konduton, kvankam li tion ne perceptas. Kiam homo trovas sin en favoraj cirkonstancoj, tiam antaŭ liaj okuloj kvazaŭ vidiĝas arbaro da glavoj kaj lancoj, kiuj iom post iom vundas lin, ĝis li finfine estas detruita. Tiuokaze li povas esti komparata kun lampa oleo, kiu iom post iom konsumiĝas ĝis neniom restas, kvankam li tion ne rimarkas.

채근담 99)

사람이 불리한 상황에 처했을 때 만나는 모든 것은 돌침과 쓴 약으로 침을 놓는 효과가 있습니다. 그러한 바늘과 약은 비록 그것을 인식하지 못하지만 성격을 배양하고 행동을 개선하는 역할을 합니다. 사람이 유리한 상황에 처했을 때는 눈앞에 검과 창의 숲이 나타나 조금씩 상처를 입고 마침내 멸망합니다. 이 경우 자신도 모르게 아무것도 남지 않을 때까지 점차적으로 소모되는 등유에 비교할 수 있습니다.

Cai Gen Tan 100)

Homo, kiu kreskas en riĉa kaj potenca

familio, havas luksemon kaj avidecon, kiuj estas kiel furioza fajro, kaj lia sinapogo sur la potenco estas kiel arda flamo.

Se li ne mildigas sin per simplaj kaj honestaj aspiroj, la akra fajro certe pereigos lin mem, se ne ankaŭ aliajn.

채근담 100)

부유하고 유력한 집안에서 자란 남자는 사치와 욕심이 활활 타오르는 불과 같고, 권력에 대한 집착은 타오르는 불꽃과도 같습니다.

단순하고 정직한 열망으로 자신을 부드럽게 하지 않으면 날카로운 불은 다른 사람은 아니더라도 반드시 자신을 파괴합니다.

Cai Gen Tan 101)

Kiam la menso de homo atingas la perfektan sincerecon, li povas emocii eĉ la Ĉielon kaj Teron: tiam prujno povas aperi eĉ en somero, urbomuroj povas disfali, kaj diamanteca roko povas esti skulptita. La falsema homo estas nenio alia, ol malplena ŝelo: li perdis sian denaskan naturon, li havas aspekton malamindan en la okuloj de aliaj, kaj kiam li estas sola, li hontas pro sia propra abomenindeco.

채근담 101)

사람의 마음이 온전한 정성에 이르면 하늘과 땅도 움직일 수 있고, 여름에도 이슬이 맺힐 수 있고 성벽이 무너질 수 있으며 금강석을 깎을 수 있습니다. 거짓된 사람은 빈 껍데기에 지나지 않아서
본래의 본성을 잃어버리고, 다른 사람의 눈에는 혐오스럽게 보이며, 혼자 있을 때는 자신의 가증스러운 것을 부끄러워합니다.

Cai Gen Tan 102)

Kiam peco de literatura verko atingas la kulminon de perfekteco, ĝia ĉarmo kuŝas ne en tio, ke ĝi entenus ion mirindan, sed nur en tio, ke ĝi estas skribita precize en la ĝusta maniero. Kiam homo kulturas sian moralan karakteron ĝis la perfekteco, li tion faras ne kun la helpo de ajna magia rimedo, sed en la maniero lasi elmontriĝi sian puran denaskan naturon.

채근담 102)

문학 작품의 한 부분이 지극한 경지에 이르렀을
때, 그 매력은 놀랄만한 무언가를 담고 있다는 사실
에 있는 게 아니라, 정확히 올바른 방식으로 쓰여졌
다는 사실에 있습니다. 사람이 자신의 도덕적 인격을
지극한 경지에 이르게 할 때, 어떤 마술적인 수단의
도움으로 그렇게 하지 않고, 자신의 순수한 본성을
드러내는 방식으로 그렇게 합니다.

Cai Gen Tan 103)

En tiu ĉi mondo de iluzioj ne nur la
rango kaj riĉeco estas efemeraj, sed eĉ
tiuj ĉi korpoj niaj estas pruntedonitaj al ni
de la Ĉielo por tre mallonga tempo. En la
regno de la Taŭo, kie la lasta spuro de la
materiala mondo estas jam eliminita, ne
nur familianoj, sed ankaŭ ĉio en la
universo kuniĝas kun ni en unu tuton. Se
oni nur povas travidi tiun ĉi nian mondon
kaj percepti la esencon de la pura Taŭo,
oni povas preni sur sin la pezan ŝarĝon
savi la mondon kaj helpi ĝian popolon, kaj
ankaŭ povas forskui la materialajn
katenojn de rango kaj riĉeco.

채근담 103)

이 환상의 세계에서 지위와 부는 덧없을 뿐만 아
니라 우리의 이 몸도 하늘에서 아주 잠깐 동안 우리
에게 빌려주었습니다. 물질계의 마지막 흔적이 이미
제거된 도의 영역에서는 가족뿐 아니라 우주의 모든
것이 우리와 합하여 하나가 됩니다. 우리가 이런 세
상을 꿰뚫어 보고 순수한 도의 정수를 지각한다면
세상을 구하고 사람을 돕는 무거운 짐을 질뿐만 아
니라 지위와 부의 물질적 속박을 떨쳐버릴 수 있습
니다.

Cai Gen Tan 104)

Ĉiuj bongustaĵoj estas kiel medikamentoj,
kiuj povas putrigi la intestojn kaj la ostojn,
tial, se vi manĝos nur ĝis duonsato, estos
nenia malutilo al vi. Ĉiuj agrablaj aferoj
estas tiaj rimedoj, kiuj difektas la korpon
kaj detruas la moralan karakteron, tial, se
vi ĝuos ilin nur duonplene, vi havos
nenian motivon por posta bedaŭro.

채근담 104)

모든 진미는 장과 뼈를 썩게 하는 약과 같으니 반

만 먹어도 해가 되지 않습니다. 모든 오락은 몸을 상하게 하고 도덕성을 파괴하는 수단이므로 반만 즐기면 나중에 후회를 초래하지 않습니다.

Cai Gen Tan 105)

Ne riproĉu aliajn pri iliaj kulpetoj; ne malkaŝu alies privatajn aferojn; ne nutru en vi malnovan rankoron kontraŭ aliaj. Sekvante tiujn ĉi tri kondutregulojn, vi povos kulturi vian moralan karakteron kaj eviti malutilojn.

채근담 105)

남의 잘못을 탓하지 마십시오. 남의 개인적인 일을 드러내지 마십시오. 남에 대한 오래된 원한을 품지 마십시오. 이 세 가지 행동 규칙을 따르면 도덕적 성품을 계발하고 해를 피할 수 있습니다.

Cai Gen Tan 106)

La nobla klerulo ne devas preni frivolan manieron. Se li rifuzos tiel agi, li elmetos sin al tro da eksteraj distraĵoj, kaj sekve ne povos plu ĝui senzorgan kaj trankvilan vivon. Kiam li uzas sian menson, li ne devas trudi tro pezan ŝarĝon al ĝi. Alie li fariĝos sklavo de eksteraj fortoj kaj ne povos plu ĝui senĝenajn kaj vivecajn plezurojn.

채근담 106)

고귀한 선비는 경솔한 행동을 취해서는 안 됩니다. 이런 식으로 행동하기를 거부한다면 자신을 너무 많은 외부 오락에 빠져 결과적으로 더 이상 걱정없이 조용한 삶을 즐기지 못하게 됩니다. 마음을 사용할 때 너무 무거운 짐을 지우지 말아야 합니다. 그렇지 않으면 외부 세력의 노예가 되어 더 이상 평온하고 활기찬 기쁨을 누리지 못하게 됩니다.

Cai Gen Tan 107)

La universo daŭras por ĉiam, sed la homo, unu fojon mortinte, ne povas reveni al la vivo. Li povas vivi apenaŭ cent jarojn, kaj tiuj jaroj, eĉ cent, pasas kvazaŭ momento. Bonŝance naskiĝinte en tiun ĉi mondon, li ne povas ne scii gustumi la feliĉon de la vivo, kaj samtempe li devas gardi en la menso ankaŭ, ke estos bedaŭrata ĉiu lia tago malŝparita.

채근담 107)

우주는 영원히 계속되지만 사람은 한번 죽으면 다시 살아날 수 없습니다. 겨우 100년을 살 수 있고, 그 100년도 한 순간처럼 지나갑니다. 운좋게 이 세상에 태어나서 인생의 행복에 대해 맛보는 법을 아는 동시에, 마음에서도 낭비된 매일을 후회하도록 지켜야합니다.

Cai Gen Tan 108)

Rankoro estas vekita tiam, kiam oni ne ricevas rekompencon por sia favoro donita al aliaj. Tial, anstataŭ esperi ricevi rekompencon, oni devas forgesi kiel la donitan favoron, tiel ankaŭ sian rankoron.
Malamo estas vekita tiam, kiam oni ne ricevas dankemon por sia bono farita al aliaj. Tial, anstataŭ esperi ricevi dankemon, oni devas forigi el la menso la pensojn kiel pri la farita bono, tiel ankaŭ pri la dankemo.

채근담 108)

　다른 사람에게 베푼 호의에 대한 보상을 받지 못할 때 화가 일어납니다. 그러므로 보상 받기를 바라지 말고, 베푼 은혜를 잊어버리듯 화도 잊어야 합니다.
　다른 사람에게 행한 선행에 대한 감사를 받지 못할 때 증오가 일어납니다. 그러므로 감사를 받기를 바라는 대신 선행에 대한 생각을 마음에서 내버리듯 감사에 대한 생각을 내버려야합니다.

Cai Gen Tan 109)

　La malsanoj de maljuna aĝo havas siajn radikojn en la aĝo forta. La pekoj, kiuj estas la sekvo de dekadenco, havas siajn radikojn en la tempo, kiam oni estis ĉe la kulmino de sia prospero aŭ potenco. Jen kial la noblulo devas esti aparte singarda en la florado de sia vivo.

채근담 109)

　노년의 질병은 건강한 때에 뿌리를 둡니다. 타락의 결과로 나타나는 죄악은 번영이나 권력이 절정에 달했던 시기에 뿌리를 둡니다. 그렇기 때문에 군자는 인생의 꽃을 피울 시간에 특별히 조심해야 합니다.

Cai Gen Tan 110)

Doni siajn bonfarojn al individuoj por akiri favorojn ne estas pli bone, ol prezenti siajn belajn kvalitojn al la publiko por plialtigi ĝian moralecon. Ekhavi novajn amikojn ne estas pli bone, ol pliintimigi al si malnovan amikecon. Krei vantan gloran reputacion por si ne estas pli bone, ol kaŝe kulturi sian virton. Peni fari eksterajn agojn kaj brilajn meritojn ne estas pli bone, ol silente kaj singarde zorgi pri ĉiutagaj farendaĵoj.

채근담 110)

호의를 얻기 위해 개인에게 선행을 베풂은 도덕성을 높이기 위해 대중에게 아름다운 자질을 제시함보다 나을 바가 없습니다. 새로운 친구를 사귐은 오래된 우정을 더 친밀하게 만듦보다 나을 바가 없습니다. 자신을 위해 헛된 명예를 만듦은 남몰래 덕을 닦음보다 나을 바가 없습니다. 외적 행위와 눈부신 공덕을 행하려고 애씀은 묵묵히 날마다 해야할 일을 함보다 나을 바가 없습니다.

Cai Gen Tan 111)

Neniam malobei la publikan opinion, kiu estas konforma al justeco, alie vi hontigos vin por ĉiam. Ne vin enmiksu tien, kie potenco estas manipulata por privataj profitoj, alie vi makulos vin por la tuta vivo.

채근담 111)

정의에 부합하는 여론을 거스르지 마십시오. 그렇지 않으면 영원히 수치를 당합니다. 개인적인 이익을 위해 권력을 악용하는 곳에 섞이지 마십시오. 그렇지 않으면 평생 얼룩이 남습니다.

Cai Gen Tan 112)

Pli bone estas elvoki envion pro via honesta kondutado, ol peni plaĉi al aliaj malaltigante vian moralecon. Pli bone estas altiri sur vin kalumniojn detenante vin de malbonaj agoj, ol rikolti laŭdojn sen bona kondutado.

채근담 112)

품행을 낮추어 다른 사람을 기쁘게 하려고 하기보다 정직한 행실로 시기심을 일으키는 편이 더 낫습니다. 선행 없이 칭찬을 받기보다 악행을 멀리하여 비방을 받는 편이 더 낫습니다.

Cai Gen Tan 113)

Kiam neatendita malagrablaĵo okazas inter familianoj, oni devas esti en kvieteco anstataŭ en ekscitiĝo. Kiam amiko eraras, oni devas sincere konsili al li ripari la eraron anstataŭ lasi al li plu iri sian malĝustan vojon.

채근담 113)

가족 간에 예상치 못한 불미스러운 일이 생겼을 때 흥분하는대신 침착해야 합니다. 친구가 잘못을 했을 때 틀린 길을 계속 가도록 내버려 두는대신 잘못을 바로잡도록 진심으로 충고해야 합니다.

Cai Gen Tan 114)

Vera heroo estas tiu, kiu ne neglektas

bagatelaĵojn pri moraleco, nek faras malbonojn eĉ kaŝite for de alies vido, nek malstreĉas siajn penojn eĉ sieĝate de ŝajne nevenkeblaj malfacilaĵoj.

채근담 114)

진정한 영웅은 도덕이 사소할지라도 소홀히 하지 않고, 악이 남의 눈에 보이지 않을지라도 숨기지 않고, 어려움이 극복하지 못하게 둘러싸도 자신의 노력을 게을리 하지 않는 사람입니다.

Cai Gen Tan 115)

Momento da vera amikeco estas neakirebla per abundo da oro, sed komplezo montrita per simpla regalo povas rikolti dumvivan dankemon. La amo, eĉ ardigita ĝis ekstremeco, iafoje povas veki malamon, dum tre eta afableco povas turni rankoron en ĝojon.

채근담 115)

진정한 우정의 순간은 금을 많이 주고도 얻지 못하 지만, 단순한 선물로 나타낸 친절은 평생 감사를 받게도 합니다. 사랑은 극도로 뜨거워도 때로 미움을 불러일으키지만, 아주 작은 친절은 원망을 기쁨으로 바꾸기도 합니다.

Cai Gen Tan 116)

Ŝajnigu vin mallerta por kaŝi viajn verajn talentojn. Montru vian lertecon nur en tia maniero, ke viaj kapabloj estas limigitaj. Kovru vin per masko de konfuzo por kaŝi vian veran klarecon de la kapo. Uzu la metodon de portempa retiriĝo por fari postan antaŭeniron. Tiuj ĉi estas taktikoj por memkonservo, kiuj estas tiel bonaj, kiel tiuj de ruza leporo, kiu havas tri truojn.

채근담 116)

당신의 진짜 재능을 숨기기 위해 미숙한 척하십시오. 능력이 제한된 방식으로만 숙련됨을 보여주십시오. 마음의 진정한 명료함을 숨기기 위해 혼란의 가면으로 자신을 덮으십시오. 다음의 먼저 들어감을 위해 일시적인 물러남의 방법을 사용하십시오. 이것이 구멍을 세 개 가진 교활한 토끼 못지않게 좋은 자기보존 전략입니다.

Cai Gen Tan 117)

La faktoroj de dekadenco jam latentiĝas en la tempo de kulmina prospero, dum nova revigliĝo de vivo komenciĝas jam en la tempo de kadukiĝo. Tial, en la tempo de paco kaj abundeco la noblulo devas sin antaŭgardi kontraŭ eblaj katastrofoj. Male, dum tumulta tempo li devas kun firma volo fari sian plejeblon por atingi plenan sukceson.

채근담 117)

쇠락의 요인은 절정의 시기에 이미 잠재되어 있는 반면, 삶의 새로운 활력은 쇠락의 시기에 벌써 시작됩니다. 그러므로 군자는 평화와 풍요의 시대에 생길지도 모를 재난을 경계해야 합니다. 반대로 격동의 시기에 완전한 성공을 이루기 위해 의지를 굳게 잡고 최선을 다해야 합니다.

Cai Gen Tan 118)

Tiu, kiu estas sorĉita de strangaĵoj kaj kuriozaĵoj, ne povas havi profundajn sciojn. Tiu, kiu rigore praktikas sinkulturadon en izoliteco for de siaj kunuloj, ne povas konservi sian virton por tre longa tempo.

채근담 118)

기이함과 호기심에 사로잡힌 사람은 깊은 지식을 갖기 어렵습니다. 이웃들과 떨어져 고립된 상태에서 엄격하게 절제를 실천하는 사람은 그 덕을 오랫동안 유지할 수 없습니다.

Cai Gen Tan 119)

Kiam homo koleriĝas kiel furioza flamo aŭ kiam liaj deziroj fortiĝas kiel bolanta akvo, li agas stulte malgraŭ ke li bone konscias sian stultaĵon. Kiu estas tiu, kiu scias, ke tia mensostato estas misa? Kaj kiu estas tiu, kiu, konsciante la misecon, intence lasas al si kulpi tian stultaĵon? Se, en tia momento, li povas returni siajn pensojn en la ĝusta direkto, tiam la "demono", kiu devojigis lin, ŝanĝiĝas en la "Sinjoron", kiu redonas al li lian originan veran naturon.

채근담 119)

사람이 성난 불꽃처럼 화를 내거나 욕망이 끓는 물처럼 강해지면 자신의 어리석음을 잘 알면서도 어리석게 행동을 합니다. 그런 마음 상태가 잘못된 것임을 아는 이가 누구입니까? 그리고 그 잘못을 알고도 그런 어리석은 일을 저지르도록 고의적으로 허용하는 사람은 누구입니까? 그런 순간에 자신의 생각을 올바른 방향으로 돌이킬 수 있다면, 그때 잘못된 길로 인도했던 "마귀"는 원래의 본성으로 회복시키는 "주님"으로 변합니다.

Cai Gen Tan 120)

Ne kredu nur al unu partio, por ne esti trompita de malbonulo. Ne opiniu vin ĉiam prava, nek estu obstina en via opinio, por ne esti puŝata de tromemfido. Ne uzu viajn fortaĵojn por bagateligi alies kvalitojn. Ne lasu al via mallerteco enviigi vin pri alies kapabloj.

채근담 120)

나쁜 사람에게 속지 않으려면 한쪽 편만 믿지 마십시오. 스스로 과신하지 않으려면 자신이 항상 옳다고 생각하지 말고 자신의 의견에 고집을 부리지 마십시오. 다른 사람의 자질을 하찮게 만드는 데 자신의 강점을 사용하지 마십시오. 다른 사람의 능력을 부러워할만큼 자신을 미숙하게 두지 마십시오.

Cai Gen Tan 121)

Estas necese uzi taktajn metodojn por helpi al iu venki siajn mankojn. Se vi uzas malkaŝan kaj bruan metodon, vi efektive uzas viajn proprajn malfortaĵojn por ataki la liajn.

Estas necese uzi subtilajn metodojn por reformi obstinulon. Se vi simple koleriĝas kaj lin abomenas, vi efektive uzas vian obstinecon por pliobstinigi lin.

채근담 121)

누군가가 자신의 단점을 극복하도록 돕기 위해 재치 있는 방법을 사용할 필요가 있습니다. 드러내서 시끄러운 방법을 사용한다면 실제로는 자신의 약점을 이용하여 상대를 공격하는 꼴입니다.

완고한 사람을 개혁하려면 미묘한 방법을 사용해야 합니다. 그냥 화를 내고 미워한다면 실제로는 당신의 완고함으로 상대를 더 완고하게 만들게 됩니다.

Cai Gen Tan 122)

Renkontante homon kaŝeman kaj malparoleman, ne elverŝu vian koron al li. Renkontante homon arogantan kaj ofendiĝeman, estu singarda pri viaj paroloj.

채근담 122)

음침하고 과묵한 사람을 만나면 마음을 털어놓지 마십시오. 거만하고 공격적인 사람을 만나면 말을 조심하십시오.

Cai Gen Tan 123)

Kiam via menso estas konfuzita, vi devas scii kolekti viajn senordajn pensojn. Sed se tiu ĉi peno ne efikos, vi devos scii malstreĉi vian pensadon. Alie via konfuzo pligraviĝos je mensa nestabileco.

채근담 123)

정신이 혼란스러울 때 무질서한 생각을 모으는 방법을 알아야 합니다. 그러나 이러한 노력이 효과가 없다면 생각을 이완하는 방법을 알아야 합니다. 그렇지 않으면 정신적 불안정으로 혼란이 가중됩니다.

Cai Gen Tan 124)

Klara, senpluva ĉielo povas subite kovriĝi de nigraj nuboj kun fulmoj kaj tondroj. Ĉielo plena de forta vento kaj abunda pluvo povas subite ŝanĝiĝi en belan vidaĵon en serena lunlumo. Ĉu la movoj de la naturo iafoje povus ĉesi eĉ por momento? Ĉu eĉ iometo da esenco de la universo iafoje povus esti blokita? Jen kia estas ankaŭ la homa naturo.

채근담 124)

맑고 비가 내리지 않던 하늘이 갑자기 번개와 천둥을 동반한 먹구름으로 뒤덮일 수 있습니다. 강한 바람과 폭우로 가득 찬 하늘은 고요한 달빛 속에서 아름다운 광경으로 갑자기 바뀔 수 있습니다. 자연의 움직임을 언젠가 잠시라도 멈출 수 있을까요? 우주의 아주 작은 본질이라도 언젠가 막힐 수 있을까요? 이것은 또한 인간의 본성과도 같습니다.

Cai Gen Tan 125)

Iuj tro malfrue konscias sian egoismon kaj siajn materialajn dezirojn, sekve ili ne povis venki sian egoismon kaj subpremi siajn materialajn dezirojn. Aliaj, kvankam sufiĉe frue konscias sian egoismon kaj siajn materialajn dezirojn, tamen malsukcesas rezisti al la tentoj materialaj kaj karnaj. Tial ni povas diri, ke la povo de tia konscio estas kiel perlo, dank' al kies brilo ni povas vidi la demonojn en nia koro, kaj ke la volforto estas akra glavo, per kiu ni povas forpeli tiujn samajn demonojn. Ni ja neniel devas lasi malfortiĝi tian nian konscion, nek nian volforton.

채근담 125)

어떤 이들은 자신의 이기심과 물질욕을 너무 늦게 깨닫고 이기심을 극복하지 못하고 물질욕을 억누르지 못합니다. 다른 사람들은 자신의 이기심과 물질욕을 아주 일찍 깨닫지만 여전히 물질과 육체의 유혹을 물리치지 못합니다. 그러므로 그러한 의식의 힘은 진주와 같아서 그 빛 덕분에 마음 속의 악마를 볼 수 있고 의지력은 그같은 악마를 몰아낼 힘이 있는 날카로운 검이라고 우리는 말할 수 있습니다. 결코 우리의 의식이나 의지력이 약해지게 두어서는 안 됩니다.

Cai Gen Tan 126)

Kiam vi trovas, ke iu trompis vin, ne montru tion en viaj paroloj. Kiam iu ĵetas insultojn sur vin, ne lasu al via mieno perfidi vian koleron. Tiaj agmanieroj liveros al vi neelĉerpeblan fonton de bona humoro kaj avantaĝoj.

채근담 126)

누군가가 당신을 속였다는 것을 알게 되면 그것을 말로 나타내지 마십시오. 누군가가 당신에게 욕을 할 때, 얼굴에 화를 내지 마십시오. 그러한 행동방식은 당신에게 기분 좋고 유익함에 무궁무진한 원천을 제공할 것입니다.

Cai Gen Tan 127)

Vivo malfacila, malriĉa kaj katastrofoplena estas forno kaj amboso, sur kiuj homoj povas esti forĝitaj elstaraj.

Tia forĝado estas bona kiel al la korpo, tiel ankaŭ al la menso; sen tia forĝado ambaŭ certe degeneros.

채근담 127)

힘들고 가난하고 재앙으로 가득찬 인생은 사람을 단련할 수 있는 용광로이자 모루입니다. 이러한 단련이 몸에 좋듯이 역시 마음에도 좋습니다. 그러한 단련이 없다면 둘 다 확실히 약해질 것입니다.

Cai Gen Tan 128)

Mia korpo estas kiel malgranda kosmo. Se nur mia ĝojo kaj mia malĝojo havas siajn konvenajn tempojn, kaj mia amo kaj mia malamo havas siajn decajn mezurojn, tiam mi estos en ordo kaj harmonio.

La universo estas kiel la gepatroj de ĉiuj homoj kaj ĉiuj estaĵoj. Ĝi ilin egale favoras kaj prizorgas, gardas ilin ĉiujn kontraŭ malbonaj influoj kaj katastrofoj, por ke regu inter ili nur paco kaj harmonio.

채근담 128)

내 몸은 작은 우주와 같습니다. 나의 기쁨과 슬픔
이 적절한 때가 있고, 나의 사랑과 증오가 적절한 척
도가 있다면, 나는 질서와 조화 속에 있을 겁니다.
　우주는 모든 사람과 모든 존재의 부모와 같습니다.
그것은 똑같이 호의를 베풀고 돌보며 나쁜 영향과
재난으로부터 모두를 보호하여 평화와 조화 만이 그
들 사이를 지배하도록합니다.

Cai Gen Tan 129)

Oni devas neniam intrigi kontraŭ aliaj
kaj tamen ĉiam sin gardi kontraŭ ili. Tiu
ĉi admono estas direktata al tiuj, kiuj
perdis viglan atentemon. Pli bone estas
riski prifriponiĝi, ol ĉiam supozi anticipe,
ke aliaj estas pretaj vin prifriponi. Tiu ĉi
admono estas direktata al tiuj, kiuj
inklinas fari erarajn juĝojn pri aliaj. Bone
tenu tiujn ĉi du admonojn en via menso,
kaj vi estos kalkulata kiel homo sagaca kaj
honesta.

채근담 129)

남에게 음모를 꾸미는 일이 없어야 하지만 항상 조심해야 합니다. 이 훈계는 경계심을 잃은 사람들을 위함입니다. 남들이 당신을 속일 준비가 되어 있다고 항상 미리 가정하기보다 속을 위험을 무릅쓰는 편이 좋습니다. 이 훈계는 남에 대해 잘못된 판단을 내리는 경향이 있는 사람들을 대상으로 합니다. 이 두 가지 훈계를 마음에 잘 간직하십시오. 그러면 슬기롭고 정직한 사람으로 여겨질 겁니다.

Cai Gen Tan 130)

Ne forĵetu viajn vidpunktojn nur pro tio, ke aliaj dubas pri ili. Ne obstine persistu en viaj propraj opinioj ignorante tiujn de aliaj. Ne donu etajn favorojn al aliaj atencante la principojn de bonkonduto. Ne utiligu la publikan opinion por atingi vian celon egoisman.

채근담 130)

남들이 의심한다고 해서 당신의 견해를 버리지 마십시오. 남의 의견을 무시하면서 자신의 의견을 고집하지 마십시오. 선행의 원칙을 침해하면서 남에게 작은 호의를 베풀지 마십시오. 이기적인 목표를 달성하기 위해 여론을 이용하지 마십시오.

Cai Gen Tan 131)

Amikiĝante kun bona homo, vi ne devas haste intimiĝi kun li, nek tro frue laŭdi lin, alie vi riskus altiri sur vin kalumniojn de malbonaj homoj enviemaj. Volante forpuŝi de vi malbonan homon, vi ne devas facilanime forpeli lin el via amikara rondo, nek tro frue malkovri liajn malbonajn agojn, alie vi riskus lasi al li fari malutilegon al vi.

채근담 131)

좋은 사람과 사귈 때, 성급하게 친해지지도 말고 너무 빨리 칭찬하지도 말아야 합니다. 그렇지 않으면 질투하는 나쁜 사람들로부터 비방을 받을 위험이 있습니다. 나쁜 사람을 가까운 조직에서 쫓아내고 싶다면, 경솔하게 쫓아내서는 안 되며, 나쁜 행동을 너무 빨리 드러내서는 안 됩니다. 그렇지 않으면 손해를 입을 위험이 있습니다.

Cai Gen Tan 132)

Honesteco kaj virto, kiuj helas kiel
taglumo, estas elkulturitaj en malhela
kabano kun tegmento lika. La granda
kapablo regi super la regno estas formita
kaj perfektiĝanta kun tia singardemo, kian
oni havas irante sur abisma rando aŭ sur
maldika glacio.

채근담 132)

대낮처럼 빛나는 정직과 도덕은 지붕이 새는 어두
운 오두막에서 길러집니다. 나라를 다스릴 위대한 능
력은 심연의 가장자리나 살얼음 위를 걸을 때와 같
은 신중함으로 형성되고 완성됩니다.

Cai Gen Tan 133)

La gepatroj devas esti amemaj al siaj
infanoj, kaj la infanoj devas plenumi sian
filan devon al siaj gepatroj. Pli aĝaj fratoj
devas amzorgi pli junajn fratojn, kaj pli
junaj siavice devas respekti siajn pli aĝajn.
Eĉ se tiaj kondutoj atingas la kulminon de
perfekteco, tio estas ne pli ol farendaĵo,

kaj tute ne meritas dankemon. Se la gepatroj fieras pri sia amemo al siaj infanoj, kaj se la infanoj estas dankemaj pro ilia amemo, tiam familianoj fariĝas fremduloj, kaj la parenceco estas reduktita al la nivelo de bazara negoco.

채근담 133)

부모는 자식을 사랑해야 하고, 자식은 부모에게 효도해야 합니다. 형은 동생을 돌보고 동생은 형을 공경해야 합니다. 설령 그런 행위가 완벽에 이른다고 해도 그것은 마땅히 해야 할 일에 지나지 않으며 전혀 감사할 가치가 없습니다. 부모가 자식에 대한 애정을 자랑하고 자식이 그 애정에 감사하면 가족은 남이 되고 친족관계는 장사꾼 수준으로 전락합니다.

Cai Gen Tan 134)

Se ekzistas beleco, devas ekzisti malbeleco. Se mi ne fanfaronas pri mia beleco, kiel do oni povos nomi min malbela? Se ekzistas pureco, devas ekzisti malpureco. Se mi ne fanfaronas pri mia pureco, kiel do oni povos nomi min malpura?

채근담 134)

아름다움이 있으면 추함도 있어야 합니다. 내가 아름다움을 자랑하지 않는다면 어찌 사람들이 나를 못생겼다고 할 수 있겠습니까? 순결이 있으면 불결함이 있어야 합니다. 내가 순결을 자랑하지 않는다면 어찌 사람들이 나를 더럽다고 할 수 있겠습니까?

Cai Gen Tan 135)

La nekonstanteco de homaj rilatoj estas pli frapanta inter la riĉuloj, ol inter la malriĉuloj. Envio estas pli evidenta inter proksimaj parencoj, ol inter fremduloj. Sekve, se oni ne povas fronti kontraŭ tiaj bedaŭrindaj situacioj kun kvieta kapo kaj paca menso, oni apenaŭ povas eviti esti turmentata de ĉagreno en ĉiu tago.

채근담 135)

인간관계의 변덕스러움은 빈자 사이보다 부자 사이에서 더 두드러집니다. 부러움은 낯선 사람 사이보다 가까운 친척 사이에서 더 분명합니다. 그러므로 이러한 안타까운 상황을 냉정한 머리와 평안한 마음으로 대하지 못한다면 매일 번뇌의 괴로움을 거의 피하지 못할 겁니다.

Cai Gen Tan 136)

Meritoj neniel devas esti interkonfuzitaj
kun malmeritoj, alie oni fariĝos
maldiligentaj kaj ĉesos strebi antaŭen;
favoroj faritaj al aliaj kaj rankoro gardata
kontraŭ aliaj ne devas esti tro evidentaj,
alie oni vin forlasos kaj eĉ perfidos.

채근담 136)

선덕은 결코 잘못과 혼동되어서는 안 됩니다.
그렇지 않으면 사람들은 게을러지고 앞으로 나아
가는 것을 멈출 겁니다. 남에게 베푸는 은혜와 남을
대항해 간직한 악감은 너무 분명하지 않아야 합니다.
그렇지 않으면 사람들은 떠나거나 심지어 배신할 겁
니다.

Cai Gen Tan 137)

Homo devas eviti atingi tro altan
pozicion, ĉar tiam li povus sin endanĝerigi.
La meritoj kaj atingoj ne devas esti tro
perfektaj, ĉar la perfekteco estas la

punkto, ĉe kiu dekadenco komenciĝas. Homo ne devas tro multe paradi per sia virto, ĉar parademo provokas klaĉojn kaj kalumniojn.

채근담 137)

사람은 너무 높은 지위에 오르는 것을 피해야 합니다. 그렇게 하면 자신이 위험에 처할 수 있기 때문입니다. 공과 업적이 너무 완벽해서는 안 됩니다. 완벽함은 타락이 시작되는 지점이기 때문입니다. 사람은 자신의 덕을 너무 뽐내서는 안 됩니다. 뽐냄은 험담과 비방을 유발하기 때문입니다.

Cai Gen Tan 138)

Estas malutile por homo kaŝi siajn malbonajn agojn aŭ distrumpeti pri siaj bonaj agoj. Malbono publike farita kaŭzas malpli da malutilo, dum tiu kaŝe farita plej multe malutilas. Bono publike farita estas malpli inda, dum tiu kaŝe farita produktas plejon da indo.

채근담 138)

사람이 자기의 악행을 숨기거나 선행을 자랑하는 것은 해롭습니다. 공개적으로 행한 악은 해롭기가 덜 하지만 은밀히 행한 악은 가장 큰 해를 끼칩니다. 공개적으로 행한 선행은 가치가 덜하지만, 은밀히 행한 선행은 가장 가치가 큽니다.

Cai Gen Tan 139)

Virto estas la mastro de talento, kaj talento estas la servisto de virto. Talento sen virto estas kiel domanaro senmastra, kiu lasas al la servistoj fari la mastrumadon. Tial, se oni lasas al sia talento esti super la virto, tio ja egalas lasi al demonoj kaj monstroj senbride fari malordon!

채근담 139)

덕은 재능의 주인이고 재능은 덕의 종입니다. 덕이 없는 재능은 주인 없이 집안식구들만 있음과 같아서 종들이 살림하도록 내버려둡니다. 그러므로 자신의 재능이 덕을 이기도록 놔둠은 마귀와 귀신이 제멋대로 어지럽게 날뛰도록 버려둠과 같습니다!

Cai Gen Tan 140)

Eliminante malbonulojn, oni devas lasi al ili vojon por eskapo. Se oni persekutas ilin tro preme, lasante al ili nenian elirejon, tio estas kvazaŭ elpeli raton ŝtopante al ĝi ĉiujn truojn. La rezulto estos, ke la rato ronĝe difektos ĉiujn valorajn posedaĵojn.

채근담 140)

악한 사람들을 없앨 때는 그들이 피할 길을 남겨 두어야 합니다. 어떤 출구도 남기지 않고 너무 세게 핍박함은 쥐구멍을 다 막고 쥐를 쫓아냄과 같습니다. 그 결과 쥐가 모든 귀중한 소유물을 갉아먹고 손상 시킬 겁니다.

Cai Gen Tan 141)

Vi povas porti kulpojn kune kun aliaj, sed vi ne devas dividi kun aliaj la gloron pri meritoj, ĉar dividi la gloron kun aliaj kondukus al reciproka enviado. Oni povas sperti suferojn kune kun aliaj, sed ne devas dividi kun aliaj komfortecon kaj feliĉon; ĉar dividi komfortecon kaj feliĉon kun aliaj kondukus al reciproka malamikeco.

채근담 141)

다른 사람과 함께 허물을 짊어질지라도 공덕의 영광을 나누지는 말아야 합니다. 다른 사람과 영광을 나누면 서로 시기하기 때문입니다. 다른 사람과 함께 고통을 겪을지라도 위로와 행복을 나눠서는 안 됩니다. 다른 사람과 위로와 행복을 나누면 서로 미워하기 때문입니다.

Cai Gen Tan 142)

Nobla klerulo, kiu estas malriĉa, ne povas doni materialan helpon al aliaj. Sed kiam li renkontas personon, kiu estas en konfuziteco kaj perdis la vojon en la vivo, li devas diri la ĝustajn vortojn por malfermi liajn okulojn al la vero. Kaj kiam li renkontas personon, kiu baraktas en grandaj malfaciloj, li devas diri la ĝustajn vortojn por mildigi liajn malfacilojn. Ankaŭ tio estas senlima bonfaro.

채근담 142)

가난한 군자는 다른 사람에게 물질적인 도움을 줄
수 없습니다. 그러나 인생에서 혼란스럽고 길을 잃은
사람을 만났을 때 진실에 눈을 뜨도록 올바른 말을
해야 합니다. 그리고 큰 어려움에 처한 사람을 만났
을 때 어려움을 덜어주도록 올바른 말을 해야 합니
다. 그것 역시 무한한 선행입니다.

Cai Gen Tan 143)

Kiam oni estas malsata, oni iras serĉi
helpon ĉe aliaj. Kiam oni havas plenan
stomakon, oni foriras de aliaj. Kiam oni
renkontas homon potencan kaj riĉan, oni
ĵetas sin al liaj piedoj. Kiam oni renkontas
homon en mizero, oni lin malŝate evitas. –
Jen la komunaj difektoj de la homa naturo.

채근담 143)

배가 고프면 다른 사람에게 도움을 청하러 갑니다.
배가 부르면 다른 사람에게서 떠납니다. 권력자와 부
자를 만나면 그들 발 앞에 몸을 던집니다. 곤경에 처
한 사람을 만나면 경멸하며 피합니다. – 이것은 인간
본성의 공통적인 병폐입니다.

Cai Gen Tan 144)

La noblulo devas rigardi ĉion per okulo malvarma kaj klara; li gardas sin, ke li ne facile elmontru sian naturon malmolan.

채근담 144)

군자는 차갑고 맑은 눈으로 모든 것을 보아야 합니다. 완고한 본성을 쉽게 드러내지 않으려고 조심합니다.

Cai Gen Tan 145)

Virto kreskas kun grandanimeco; grandanimeco kreskas kun la pliiĝo de homaj scioj. Tial, se vi deziras plialtigi vian virton, vi devas fari vin pli grandanima kaj, por fari vin tia, vi ne povas ne pliigi viajn sciojn.

채근담 145)

미덕은 아량으로 자랍니다. 아량은 인간의 지식이 더함에 따라 커집니다. 그러므로 미덕을 높이고 싶으면 자신을 더욱 아량이 넘치도록 만들어야 하고, 그러기 위해서는 지식을 더하지 않을 수 없습니다.

Cai Gen Tan 146)

Kiam la kandela flamo flagretas kaj absoluta silento regas, tiam ni kvazaŭ jam eniris en la kvietecon, kiel dirite en budhismo. Ĉe la tagiĝo, kiam ni estas freŝe vekiĝintaj el nia dormo kaj ankoraŭ nenio estas en moviĝo, ni estas kvazaŭ en la ĵus-eliĝinteco el la praĥaoso antaŭ la apartiĝo de la tero kaj la ĉielo. Se ni profitas de tia momento por mediti pri ni mem, ni ekhavos la senton, kvazaŭ sunradioj falas sur nian animon, kaj ekkonscios, ke ĉiuj niaj sensorganoj estas katenoj sur nia menso, kaj ke ĉiuj niaj sentoj kaj deziroj estas instrumentoj por konfuzi nian veran naturon.

채근담 146)

촛불이 깜박이고 절대적인 침묵이 지배할 때 우리는 불교에서 말하는 것처럼 이미 정적에 들어간 것 같습니다. 우리가 잠에서 막 깨어나 아직 아무것도 움직이지 않는 새벽에, 우리는 말하자면 땅과 하늘이 분리되기 전의 태초의 혼돈에서 막 벗어난 상태에 있습니다. 우리가 자신에 대해 명상하는 그러한 순간을 이용한다면, 우리는 마치 태양 광선이 우리의 영혼에 떨어지는 것처럼 느끼기 시작할 것이며, 우리의 모든 감각 기관이 우리 마음에 족쇄가 되어 있다는 것을 깨닫기 시작할 것입니다. 우리의 감정과 욕망은 우리의 진정한 자아를 혼동시키는 도구입니다.

Cai Gen Tan 147)

Tiu, kiu kutime faras al si memekzamenon, povas turni ĉion, kion li tuŝas, en medikamenton sobrigan; dum tiu, kiu ofte riproĉas aliajn, turnas ĉiun sian penson en lancon pikvundantan. Memekzameno servas kiel vojo al ĉiaj bonfaroj, dum riproĉado al aliaj estas kiel fonto de ĉiaj malbonoj. Tiuj ĉi du estas tiel diferencaj inter si, kiel la ĉielo kaj la tero.

채근담 147)

습관적으로 반성하는 사람은 만지는 모든 것을 진정시키는 약으로 바꿀 수 있습니다. 남을 자주 책망하는 사람은 모든 생각을 찌르는 창으로 삼나니 반

성은 모든 선행의 길이요, 책망은 모든 악행의 근원
입니다. 이 둘은 하늘과 땅처럼 서로 다릅니다.

Cai Gen Tan 148)

Entreprenoj kaj literaturaĵoj pereas kun
sia kreinto, sed la spirito estas eterna.
Atingoj, riĉaĵoj kaj famo ŝanĝiĝas kun la
paso de la tempo, sed la morala honesteco
daŭras por ĉiam. Tial oni neniel devas
fordoni sian noblan spiriton pro la
efemeraj entreprenoj kaj literatura famo,
nek sian moralan honestecon pro la riĉaĵoj
kaj altrangeco.

채근담 148)

사업과 문학 작품은 창작자와 함께 소멸하지만 정
신은 영원합니다. 업적, 재산 및 명성은 시간이 지남
에 따라 변하지만 도덕적 정직성은 영원히 지속됩니
다. 그렇기 때문에 덧없는 사업과 문학적 명예를 위
해 숭고한 정신을 포기해서는 안 되며, 부귀와 높은
지위를 위해 도덕적 정직성을 포기해서는 안 됩니다.

Cai Gen Tan 149)

Kiam reto estas ĵetita por fiŝkaptado, bufo hazarde saltas en ĝin. Embuskante por kapti cikadon, manto mem fariĝas viktimo de fringelo, kiu sin kaŝas post ĝi. Neatenditeco kaŝiĝas en neatenditeco, kaj katastrofo povas estiĝi ekster katastrofo. Kontraŭ ĉio ĉi tio, kiel do estas fidindaj la homaj saĝo kaj takto?

채근담 149)

낚시를 위해 그물을 던지면 두꺼비가 우연히 그물에 뛰어듭니다. 매미를 잡기 위해 매복한 사마귀는 그 뒤에 숨어 있는 검은방울새의 희생양이 됩니다. 의외는 의외 속에 숨어 있고, 재앙 밖에서 재앙이 일어날 수 있습니다. 이 모든 것에 대항하여 인간의 지혜와 재치를 어떻게 신뢰할 수 있겠습니까?

Cai Gen Tan 150)

Persono sen sincereco estas kiel ŝminko sur virina vizaĝo. Ĉio, kion li faras, estas nur ŝajnigo. Se persono, en sia kondutado al la mondo, traktas aferojn ne kun fleksebleco kaj takto, li fariĝos senviva lignaĵo, kaj renkontos ĉie obstaklojn.

채근담 150)

성실하지 않은 사람은 여자의 얼굴에 화장을 함과 같습니다. 하는 모든 일은 시늉일뿐입니다. 사람이 세상을 대할 때 유연하고 재치 있게 일을 다루지 않는다면 죽은 나무 조각이 되어 모든 곳에서 장애물을 만나게 됩니다.

Cai Gen Tan 151)

Kiam estas neniaj ondoj sur la supraĵo de la lago, la akvo nature estas kvieta. Kiam la spegulo ne estas kovrita de tavolo da polvo, ĝi nature estas brila. Tial, ne estas necese purigi vian koron; forigu nur la egoismajn pensojn, kaj via spirito nature puriĝos. Simile, ne estas necese serĉi ĝojon; forigu nur la ĉagrenojn el via koro, kaj ĝojo nature sentiĝos..

채근담 151)

호수 표면에 파도가 없을 때 물은 자연스럽게 잔

잔합니다. 먼지가 덮이지 않으면 거울은 자연스럽게 빛납니다. 그러므로 마음을 정화할 필요는 없습니다. 이기적인 생각만 버리세요 자연스럽게 영혼이 정화됩니다. 마찬가지로 기쁨을 추구할 필요도 없습니다. 마음에서 번뇌만 제거하세요 자연스럽게 기쁨이 느껴집니다.

Cai Gen Tan 152)

Iafoje povas okazi, ke unusola penso tuŝas tabuon de dioj aŭ fantomoj, ke unusola vorto malutilas al la harmonio inter la Ĉielo kaj la Tero, aŭ ke unusola ago kaŭzas katastrofon al la posteuloj. Oni devas do esti aparte singarda kontraŭ tiaj okazoj.

채근담 152)

때로 하나의 생각이 신(神)과 유령의 금기를 건드리거나 말 한마디가 천지(天地)의 조화를 해치거나 행동 하나가 후대인에게 재앙을 끼치는 일이 있을 수 있습니다. 따라서 이러한 경우에 대해 특히 주의해야 합니다.

Cai Gen Tan 153)

Estas iuj aferoj, kiuj, ju pli baldaŭ ni deziregas ilin kompreni, fariĝas des pli malklaraj. Sed, se ni flankenmetas la aferojn kaj lasas ilin sekvi sian naturan vojon, ili mem klariĝos; sekve ni devas gardi nin kontraŭ malpacienco, por eviti pliigi nian ĉagrenon. Estas iuj homoj, kiuj des pli rifuzas nin aŭskulti, ju pli ni penas ilin gvidi. Sed se ni lasas al ili disvolvi sian kapablon kompreni la veron, ilia obstineco propravole malaperos; sekve ni ne devas ilin premi, por eviti fari ilin eĉ pli obstinaj.

채근담 153)

어떤 일들은 빨리 이해하려고 할수록 더욱 모호해집니다. 그러나 일을 옆으로 제쳐두고 자연스런 길을 따르도록 놔둔다면 그들은 스스로 분명해집니다. 그러므로 우리는 번뇌가 커지는 걸 피하려고 조급함을 경계해야 합니다. 어떤 사람들은 우리가 그들을 인도하려고 하면 할수록 우리의 말 듣기를 더욱 거부합니다. 그러나 그들이 진리를 깨닫는 능력을 계발하도록 내버려 둔다면 그들의 완고함은 저절로 사라집니다. 그러므로 우리는 그들을 더 완고하게 만들지 않기 위해 그들을 압박해서는 안 됩니다.

Cai Gen Tan 154)

Eĉ se virte vi eklipsas altrangulojn kaj riĉulojn, kaj eĉ se viaj literaturaj verkoj superas ĉiujn klasikaĵojn per beletreco, sed se tiaj literaturaj atingoj ne estiĝas el via virto, ili estas nur la rezulto de impulso de individua sento, kaj estas kalkulataj nur kiel bagatelaj skribaĉoj.

채근담 154)

설령 덕으로 높은 사람과 부자를 능가할지라도, 설령 아름다움으로 문학작품이 모든 고전을 능가할지라도, 그러한 문학적 성취가 덕에서 비롯되지 않았다면 그것은 단지 개인적인 감정의 충동의 결과일 뿐이며, 사소한 끄적거림으로만 계산됩니다.

Cai Gen Tan 155)

Homo devas retiriĝi ĉe la kulmino de sia kariero aŭ ĉe sia brila sukceso. Rilate loĝejon konvenan, li devas elekti al si

kvietan, kiu evitigos al li ĉian konkuradon
kaj konflikton kun aliaj.

채근담 155)

사람은 자신의 경력이 절정에 이르거나 눈부신 성
공을 거두면 은퇴해야 합니다. 적합한 거주지로는
다른 사람과의 모든 경쟁과 갈등을 피할 수 있는 조
용한 곳을 선택해야 합니다.

Cai Gen Tan 156)

Se vi volas esti precizema en honesteco,
estu tia eĉ en la plej bagatelaj aferoj. Se
vi volas fari bonojn, bonfaru nepre al tiu,
kiu ne povos repagi al vi.

채근담 156)

정직하고 싶다면 가장 사소한 문제에서도 그렇게
하십시오. 선을 행하고자 하거든 갚을 수 없는 자에
게 꼭 하십시오.

Cai Gen Tan 157)

Pli bone estas amikiĝi kun montloĝantaj

ermitoj, ol kun urbaj filistroj. Pli bone estas kamaradiĝi kun ordinaraj homoj kaj malriĉaj kleruloj, ol vizitadi la domegojn de riĉuloj aŭ potenculoj. Pli bone estas aŭskulti kantojn de arbohakistoj kaj knabopaŝtistoj, ol stratajn onidirojn kaj klaĉojn. Pli bone estas ripeti belajn vortojn kaj rakonti pri virtaj agoj de la antikvuloj, ol babiladi pri la dekadenco kaj malvirtoj de nuntempuloj.

채근담 157)

도시의 속물보다 산에 사는 은둔자와 친구를 사귐이 낫습니다. 부자나 권력자의 집에 드나드는 것보다 보통 사람이나 가난한 지식인과 친구가 됨이 낫습니다. 거리의 소문이나 험담보다 나무꾼과 양치기 소년의 노래를 들음이 낫습니다. 현대인의 타락과 악행에 대해 이야기하는 것보다 아름다운 말을 반복하고 고대인의 덕행에 대해 이야기함이 낫습니다.

Cai Gen Tan 158)

Moraleco estas la fundamento de ĉiaj entreprenoj. Se nur la fundamento estas firma, la konstruaĵo estas fortika kaj longedaŭra.

채근담 158)

도덕성은 모든 사업의 기초입니다. 기초만 튼튼하면 건물이 튼튼하고 오래갑니다.

Cai Gen Tan 159)

Kiel arbo ne kreskigas prosperajn branĉojn kaj densajn foliojn sen bone plantita radiko, tiel viaj posteuloj ne prosperos sen via bonkoreco, kiu estas ilia radiko.

채근담 159)

나무가 뿌리를 잘 내리지 아니하면 풍성한 가지와 무성한 잎사귀가 자라지 아니함 같이 당신의 후손도 그 뿌리가 되는 착한 마음씨가 없이는 번성하지 못하리라.

Cai Gen Tan 160)

Estas malnova proverbo, kiu diras pri homo kiu "forlasas sian familian grandan riĉaĵon kaj iras peti almozon de pordo al pordo kiel malriĉa knabo."

Alia proverbo diras: "La parvenuiĝinta malriĉulo ne devas delire fanfaroni; kaj neniu kuirfajro estas sen fumo."

La unua avertas nin kontaŭ troa sinsubtakso; la dua kontraŭ malmodesteco. Ili ambaŭ povas servi kiel gvidilo en nia studado.

채근담 160)

"집안의 큰 재산을 버리고 가난한 소년처럼 집집마다 구걸하는 사람" 에 대한 오래된 속담이 있습니다.

또 다른 속담에 "벼락부자가 된 가난한 자는 헛되이 자랑하지 말라. 아궁이에 불을 피우면 연기가 나느니라" 고 했습니다.

첫 번째는 과도한 자기 과소 평가에 대해, 두 번째는 오만함에 대해 경고합니다. 그들은 둘 다 우리 연구에서 안내추로 역할을 할 수 있습니다.

Cai Gen Tan 161)

La vero estas io, kion ĉiu devas serĉi. Homoj diferencas inter si kaj bezonas malsamajn gvidojn al la vero. Studado estas por ni kiel ĉiutaga hejma manĝo. Homo, kiu serĉas sciojn, devas observi ĉiun ŝanĝon ĉirkaŭ si, kiu konstante okazas, por teni sin ĉiam en akordo kun la aktualaj cirkonstancoj.

채근담 161)

진리는 누구나 추구해야 하는 무엇입니다. 사람들은 서로 다르며 진리에 대한 다른 안내자가 필요합니다. 공부는 매일 먹는 끼니와 같습니다. 지식을 추구하는 사람은 실제 상황에 자신을 늘 맞추려고주변에서 끊임없이 일어나는 모든 변화를 살펴야 합니다.

Cai Gen Tan 162)

Tiu, kiu havas fidon al aliaj, nepre agu kontraŭ ili kun sincereco, eĉ se aliaj povas ne ĉiuj esti sinceraj. Tiu, kiu suspektas aliajn, jam agas kontraŭ ili kun malsincereco, eĉ se aliaj povas ne ĉiuj esti malsinceraj.

채근담 162)

남들을 믿는 사람은 그들이 다 진실하지 않더라도 진실하게 행동해야 합니다. 얼음을 의심하는 사람은 남들이 다 속이지 않더라도 이미 속이며 행동합니다.

Cai Gen Tan 163)

Homo grandanima estas kiel printempa zefiro, kiu karese revarmigas kaj vigligas ĉiujn estaĵojn. Homo enviema estas kiel malvarma neĝoŝtormo, kiu kruele velkigas kaj eĉ detruas ĉiujn estaĵojn.

채근담 163)

관대한 사람은 모든 존재를 어루만져 따뜻하게 해주고 생기를 주는 봄의 미풍과 같습니다. 시기하는 사람은 모든 존재를 잔인하게 시들게 하고 심지어 멸망시키는 차가운 눈보라와 같습니다.

Cai Gen Tan 164)

La utilo de bonaj agoj ne povas esti tuj evidenta; ĝia frukto estas kiel herbokovrita melono, kiu kreskas nerimarkate. La sekvo de malbonaj agoj ne povas esti klara en la komenco; ĝi estas kiel printempa neĝo en la korto, kies malapero estas malrapida kaj apenaŭ rimarkebla.

채근담 164)

좋은 행동의 효과는 즉시 명백할 수 없습니다. 그 열매는 눈에 띄지 않게 자라는 풀로 뒤덮인 참외와 같습니다. 나쁜 행동의 결과는 처음에 명확할 수 없습니다. 그것은 녹는 속도가 느려 거의 눈에 띄지 않는 마당의 봄눈과 같습니다.

Cai Gen Tan 165)

Renkontiĝante kun malnova amiko, vi devas montri al li sentojn pli varmajn, ol antaŭe. Traktante aferojn sekretajn kaj delikatajn, vi devas montri vin larĝaspirita kaj pli sincera, ol kutime. Kondutante kontraŭ kaduka maljunulo, vi devas esti aparte ĝentila kaj respektema.

채근담 165)

오랜 친구를 만나면 전보다 더 따뜻한 마음을 보

여줘야 합니다. 은밀하고 섬세한 문제를 다룰 때는
평소보다 더 넓고 진지한 마음을 보여야 합니다. 초
라한 노인을 대할 때는 특히 점잖고 예의를 차려야
합니다.

Cai Gen Tan 166)

La vera diligentulo penas plibonigi siajn
naturon kaj virton. Sed troviĝas iuj, kiuj
estas diligentaj nur por liberigi sin el
malriĉeco. La vera ŝparulo estas
indiferenta por riĉecon kaj privataj
profitoj.
Sed troviĝas iuj, kiuj utiligas ŝparadon
por kaŝi sian avarecon. Kiel bedaŭrinde
estas, ke tio, kion la noblulo uzas por
sinkulturado, estas misuzata de fihomoj eĉ
kiel ilo por sinprofitigo!

채근담 166)

진실로 부지런한 사람은 자신의 본성과 미덕을 향
상시키기 위해 노력합니다. 그러나 가난에서만 벗어
나기 위해 부지런히 노력하는 사람들이 있습니다. 진
실로 아끼는 사람은 부와 개인의 이익에 무관심합니
다.

하지만 인색함을 감추기 위해 아끼는 사람들도 있습니다. 군자가 자기 수양에 쓰는 것을 한심한 사람이 자기 이익의 도구로 잘못 사용함이 얼마나 안타까운 일입니까!

Cai Gen Tan 167)

Tiu, kiu faras ion laŭ sia impulso, povas ĉesigi la faron en ĉiu momento, en kiu la impulso pasas. Se tiel estas, kiel do li povas fari konstantan progresadon kiel la rado, kiu neniam ruliĝas malantaŭen?

Tiu, kies komprenado estas bazita nur sur perceptado kaj sentoj, povas jen saĝiĝi, jen konfuziĝi. Se tiel estas, tiam por li neniel povas troviĝi la lampo ĉiam lumiganta.

채근담 167)

충동에 따라 무엇인가를 하는 사람은 충동이 지나가는 순간 마다 그 행위를 멈출 수 있습니다. 그렇다면 어떻게 결코 뒤로 굴러가지 않는 수레바퀴처럼 끊임없이 전진할 수 있겠습니까?

지각과 느낌에만 근거를 둔 이해력을 가진 사람은 때로 현명해지고 때로 혼란할 수 있습니다. 그렇다면 영원히 빛나는 등불을 찾을 방법이 절대 없습니다.

Cai Gen Tan 168)

Oni devas pardoni alies kulpojn, sed ne la siajn. Oni devas esti pacienca pri siaj suferoj kaj humiliĝoj, sed ne pri tiuj de aliaj.

채근담 168)

다른 사람의 잘못은 용서해야 하지만 자신의 잘못은 용서하지 말아야 합니다. 자신의 고통과 굴욕에 대해서는 참아야 하지만 다른 사람의 고통에 대해서는 참지 말아야 합니다.

Cai Gen Tan 169)

Tiu, kiu povas esti libera de vulgareco, estas persono elstara. Sed tiu, kiu intence faras sin diferenca de aliaj, estas persono ne elstara, sed stranga. Nemakuliĝo de la malbona tendenco estas nomata konservo de pureco. Sed evito de ĉiaj kontaktoj kun la ĝenerala tendenco por serĉi purecon estas ne pureckonservo, sed ekstrememo.

채근담 169)

저속함에서 자유로울 수 있는 사람이 뛰어난 사람
입니다. 그러나 일부러 자신을 다른 사람과 다르게
만드는 사람은 뛰어난 사람이 아니라 이상한 사람입
니다. 악한 성향에 물들지 않는 것을 순결의 보존이
라고 합니다. 그러나 순결을 추구하려고 일반적인 경
향과의 접촉을 모두 피하는 것은 순결 보존이 아니
라 극단주의입니다.

Cai Gen Tan 170)

Por esti favoranto al aliaj, donadu etajn
favorojn en la komenco kaj poste
grandajn. Se viaj favoroj iras de abundeco
al malabundeco, aliaj facile forgesos, kion
ili akiris. Uzante aŭtoritaton, estu severa
en la komenco kaj poste pli tolerema. Se
via aŭtoritato komenciĝis per mildeco kaj
poste per severeco, vi altiros sur vin
plendojn kaj rankoron.

채근담 170)

다른 사람에게 호의를 베풀려면 처음에는 작은 호
의를 베풀다가 큰 호의를 베푸십시오. 당신의 호의가

풍부에서 부족으로 바뀌면 다른 사람들은 그들이 얻은 것을 쉽게 잊습니다. 권위를 행사할 때는 처음에는 엄하게 하다가 나중에는 더 관대하게 대하십시오. 당신의 권위가 온유함에서 시작하여 나중에 엄격해지면 당신은 불평과 원망을 불러일으킵니다.

Cai Gen Tan 171)

Nur kiam oni havas neniajn malpurajn pensojn en sia menso, oni povas percepti sian veran naturon. Serĉi sian veran naturon dronante tamen en siaj eraraj pensoj, estas kvazaŭ malkvietigi la suprajon de la akvo kaj tamen peni vidi la reflektitan lunon. Kiam ĉiuj pensoj estas puraj, la koro fariĝas klara. Sen forpeli la mondecajn zorgojn, kiuj afliktas la menson, oni ne nur vane serĉos sian veran naturon, sed eĉ trovos ĝin ankoraŭ pli malklara.

채근담 171)

마음에 불순한 생각이 없어야 비로소 자신의 본성을 깨달을 수 있습니다. 그릇된 생각에 잠긴 채 본성을 찾는 것은 수면을 휘저으면서도 여전히 비친 달을 보려고 하는 것과 같습니다. 모든 생각이 순수하면 마음이 맑아집니다. 마음을 괴롭히는 세속적 근심거리를 버리지 않으면 자신의 진정한 본성을 찾는데 헛수고가 될 뿐만 아니라 그것이 여전히 분명하지 못함을 알게 될 것입니다.

Cai Gen Tan 172)

Se mi havas altan rangon kaj potencon, homoj min flatas. Sed la fakto estas, ke ili humiliĝas nur al mia robo de regna oficisto. Se mi estas simpla popolano, homoj min malŝatas. Sed la fakto estas, ke tio, kion ili malŝatas, estas nur mia modesta vesto. Tial, se la objekto de la flatoj estas efektive ne mi, kial do mi devas esti ĝoje memkontenta? Kaj se la malŝato estas direktita ja ne al mi, kial do mi devas senti min ofendita?

채근담 172)

내가 지위가 높고 권력이 있으면 사람들은 나에게 아첨합니다. 그러나 사실은 그들이 내 궁중 신하의 옷차림에만 자신을 낮춥니다. 내가 평범한 사람이라면 사람들은 나를 싫어합니다. 하지만 사실 그들이

싫어하는 것은 내 소박한 옷차림뿐입니다. 그러므로
아첨의 대상이 정말로 내가 아닌데 왜 내가 만족스
럽게 기뻐해야 합니까? 그리고 싫어하는 것이 나를
향한 것이 아니라면 왜 내가 기분이 상해야합니까?

Cai Gen Tan 173)

Malnova proverbo diras: "Lasu iom da
nutraĵo al musoj, por ke ili ne estu
malsataj; kaj blove estingu la lampon, por
ke la kompatindaj noktaj papilioj ne estu
brule mortigitaj."
Tiu ĉi kompatemo de la antikvuloj
ebligas al la homaro reproduktiĝi kaj
prosperi. Sen tia bonkoreco la homo estus
ne pli ol malplena ŝelo senanima.

채근담 173)

옛 속담에 "쥐에게 먹을 것을 조금이라도 남겨
굶주리지 않게 하고 등불을 꺼 가엾은 나방이 타 죽
지 않게 하라" 는 말이 있습니다.
옛사람의 이런 불쌍히 여기는 마음이 인간을 번성
하고 번영할 수 있게 합니다. 그러한 착한 마음씨가
없다면 인간은 영혼이 없는 빈 껍데기에 불과할 것
입니다.

Cai Gen Tan 174)

La homo similas la ĉielon. Kiam li ĝojas, tiam li estas kiel la ĉielo, sur kiu aperas bonaŭguraj steloj kaj nuboj; kiam li koleras, tiam li estas kiel la ĉielo, kiu faras fulmotondron; kiam li estas bonkora, tiam li estas kiel la ĉielo, kiu sendas mildan venteton kaj dolĉan roson; kiam li estas severa, tiam li estas kiel la ĉielo, kiu bruligas la sunon aŭ faligas aŭtunan prujnon. Kiel do la homo povas esti sen siaj emocioj - ĝojo, kolero, bonkoreco kaj severeco?

Se iliaj emocioj nur sekvas la naturajn ŝanĝiĝojn en la universo - jen leviĝojn, jen tuj malaperojn, kaj se estas neniaj obstakloj barantaj lian vojon al la senlima vasteco, tiam lia koro harmonie unuiĝos kun la kosmo.

채근담 174)

사람은 하늘과 같습니다. 기뻐할 때 상서로운 별과 구름이 나타나는 하늘과 같습니다. 화가 날 때 뇌우를 일으키는 하늘과 같습니다. 친절할 때 부드러운 바람과 달콤한 이슬을 보내는 하늘과 같습니다. 엄격할 때 태양을 태우거나 가을 이슬을 내리는 하늘과 같습니다. 그렇다면 기쁨, 분노, 친절, 엄격함과 같은 감정이 없는 사람은 어떻게 될 수 있습니까?

그들의 감정이 우주의 자연적 변화 -때로 솟아오르고 때로 즉시 사라지는- 만 따른다면, 그리고 무한한 광대함으로 가는 길을 가로막는 어떤 장애물도 없다면 마음은 우주와 조화롭게 하나가 됩니다.

Cai Gen Tan 175)

Kiam oni estas senokupa, la menso facile nebuliĝas. En tia tempo oni devas teni sian menson en kvieteco, por klarigi la pensojn kaj dispeli ombrojn el la kapo. Kiam oni estas okupita, la menso facile agitiĝas. En tia tempo oni devas peni sin sobrigi kaj regi sin per menskvieteco.

채근담 175)

게으르면 마음이 쉽게 흐려집니다. 그럴 때는 생각을 분명히 하고 머리에서 그림자를 없애기 위해 마음을 고요하게 유지해야 합니다. 바쁘면 마음이 쉽게 흔들립니다. 이럴 때일수록 정신을 차리고 침착한 마음으로 자신을 다스려야 합니다.

Cai Gen Tan 176)

Tiu, kiu prijuĝas aferon, estas ekster ĝi. Li devas bone koni la situacion kaj la eblecojn de profito kaj perdo. Tiu, kiu traktas aferon, estas interne de ĝi. Li devas forĵeti ĉiajn konsiderojn pri profito kaj perdo.

채근담 176)

사물을 판단하는 사람은 사물 밖에 있습니다. 그래서 상황과 손익의 가능성을 잘 알고 있어야 합니다. 일을 다루는 사람은 그 안에 있습니다. 그래서 손익에 대한 모든 고려 사항을 버려야 합니다.

Cai Gen Tan 177)

Kiam nobla klerulo okupas potencan kaj aŭtoritatan pozicion, li devas firme alkroĉiĝi al sia nekkoruptebleco, kaj konduti modeste kaj afable. Li ne devas forlasi siajn principojn eĉ unu momenton, nek havi kontakton kun tiuj, kiuj uzas sian pozicion kaj influon por siaj privataj celoj. Samtempe li ankaŭ ne devas esti

ekstremema en siaj paroloj kaj agoj, nek
provoki malamikecon de homoj perfidaj kaj
intrigemaj.

채근담 177)

군자는 권력과 권세를 차지할 때 반드시 자신의
청렴을 견지하고 겸손하고 선하게 행동해야 합니다.
한시라도 원칙을 저버리지 말아야 하며, 자신의 지위
와 영향력을 사사로운 목적으로 이용하는 자들과도
접촉해서는 안 됩니다. 동시에 말과 행동이 극단적이
어서는 안 되며, 배반하고 모략을 잘 꾸미는 사람의
적개심을 불러일으켜서도 안 됩니다.

Cai Gen Tan 178)

Tiu, kiu paradas per siaj altaj moralaj
principoj, neeviteble svingigas
kalumniemajn langojn. Tiu, kiu paradas
per siaj virtoj kaj klereco, ofte estas la
objekto de mallaŭdo. Tial la noblulo devas
deteni sin de malbonfaroj kaj ankaŭ eviti
akiri al si eminentan reputacion. Li devas
peni konservi siajn simplecon, honestecon
kaj internan kvietecon. Tio servos kiel plej
valora principo de kondutado en la socio.

채근담 178)

　높은 도덕 원칙을 과시하는 사람은 필연적으로 비난하는 말을 합니다. 미덕과 현명함을 과시하는 사람은 종종 비판의 대상이 됩니다. 그러므로 군자는 악행을 삼가야 하며 또한 뛰어난 평판 얻음을 피해야 합니다. 그리고 단순함, 정직함, 내면의 고요함을 유지하기 위해 노력해야 합니다. 이것은 사회에서 가장 가치 있는 행동 원칙이 됩니다.

Cai Gen Tan 179)

　Kiam vi renkontas homon ruzan kaj trompeman, uzu sincerecon por igi lin ŝanĝi siajn manierojn; kiam vi renkontas homon performeman kaj kruelan, uzu afablecon kaj bonkorecon por instigi lin korekti sin; kiam vi renkontas homon malvirtan kaj tro egoisman, uzu vian bonan reputacion kaj honestecon por instigi lin al bonfarado. Tiamaniere en la mondo vi renkontos neniun, kiun vi ne povus rebonigi sub via influo.

채근담 179)

교활하고 잘 속이는 사람을 만나면 진심을 다해 그런 삶의 방식을 바꾸게 하십시오. 폭력적이고 잔인한 사람을 만나면 친절과 착한 마음씨를 사용하여 시정하도록 격려하십시오. 부도덕하고 너무 이기적인 사람을 만나면 좋은 평판과 정직함을 이용하여 선행을 베풀도록 격려하십시오. 이런 식으로 당신의 영향력 하에서 개선할 수 없는 사람을 세상에서는 전혀 만나지 않을 겁니다.

Cai Gen Tan 180)

Ekpenso bonkora povas helpi harmoniigi la homaron. Koro pura povas postlasi noblan virton al ĉiuj generacioj.

채근담 180)

착한 생각은 인류를 조화시키는 데 도움을 줄 수 있습니다. 순수한 마음은 숭고한 미덕을 후대에 남길 수 있습니다.

Cai Gen Tan 181)

Sekretaj komplotoj, ekstravagancaj

manieroj, strangaj talentoj kaj eksterordinaraj kondutoj, ĉiuj estas fontoj de katastrofoj en la banala mondo. Nur per ordinara virto kaj ordinaraj agoj oni povas konservi senmakula sian propran naturon kaj tiel atingi spiritan kvietecon.

채근담 181)

은밀한 음모, 화려한 방법, 이상한 재능, 비범한 행동, 모든 것이 세속적인 재앙의 근원입니다. 평범한 덕과 평범한 행동을 통해서만 자신의 본성을 더럽히지 않고 보존하며 따라서 영적 고요를 얻을 수 있습니다.

Cai Gen Tan 182)

Proverbo diras: "Se vi deziras surgrimpi monton, vi devas elteni la iradon de kruta vojeto; se vi deziras iri en la neĝon, vi devas elteni la trapason de tre alta arka ponto."

La vorto "elteni" estas signifoplena. Sen la firma alteniĝo al "elteni", vizaĝe al la malbonaj de la mondo dum sia malfacila vivovojo, kiom da homoj do povus sukcese eviti fali en kavegon insidoplenan?

채근담 182)

속담에 "산에 오르려면 가파른 작은길 걷기를 견뎌야 하고, 눈 속으로 들어가려면 아주 높은 아치형 다리 통과하기를 견뎌야 한다" 는 말이 있습니다.

"견디다" 라는 단어는 의미가 많습니다. 힘든 인생길에서 세상의 악에 마주하여 "견딤" 에 대한 확고한 고수가 없다면 얼마나 많은 사람들이 음흉한 구덩이에 빠지지 않을 수 있겠습니까?

Cai Gen Tan 183)

Tiu, kiu fanfaronas pri siaj atingoj kaj paradas per siaj beletraj verkoj, sin apogas sur eksteraj aĵoj por ludi sian rolon de homo.

Fakte tiu, kiu atingas nenion brilan dum sia vivo, nek skribas eĉ unu vorton, se li nur ne perdis sian denaskan purecon de sia interna naturo, same povas vivi kaj labori kiel honesta homo.

채근담 183)

자신의 업적을 자랑하고 멋진 작품을 과시하는 사
람은 인간으로서 자신의 역할을 다하기 위해 외적인
것에 의지합니다.
사실 인생에서 아무 찬란한 일을 이루지 못하고
한 마디의 글도 쓰지 않는 사람도 타고난 본성의 순
수함을 잃지 않는다면 여전히 정직한 사람처럼 살며
일할 수 있습니다.

Cai Gen Tan 184)

Se vi deziras ĝui momenton da
malstreĉiĝo en granda okupiteco, vi devas
anticipe fari raciajn aranĝon kaj
konsideron. Se vi deziras ĝui momenton
da paco kaj kvieteco en brua medio, vi
devas anticipe ellerni la arton tion fari.
Alie vi ĉiam ŝanĝiĝos blinde laŭ la ŝanĝoj
en la medio kaj tiel fariĝos viktimo de la
cirkonstancoj.

채근담 184)

바쁜 시간 속에서 잠시나마 여유를 즐기고자 한다
면 사전에 합리적인 준비와 배려가 필요합니다. 시끄

러운 환경에서 평화와 고요의 순간을 즐기고자 한다면 먼저 그렇게 하는 기술을 배워야 합니다. 그렇지 않으면 환경의 변화에 따라 늘 맹목적으로 변하게 되어 상황의 희생양이 됩니다.

Cai Gen Tan 185)

Ne agu kontraŭ via konscienco; ne spitu sentojn de ordinaruloj; ne foruzu tutajn materialajn rimedojn. Se vi sekvos tiujn ĉi tri admonojn, vi povas fari vian virtan kaj naturan karakteron akceptebla por la popolo de la mondo, helpi certigi la ĉiaman kontinuecon de la vivoj de la ordinara popolo kaj krei feliĉon por viaj posteuloj.

채근담 185)

양심에 반하는 행동을 하지 마십시오. 평범한 사람들의 감정을 무시하지 마십시오. 모든 물질 자원을 낭비하지 마십시오. 이 세 가지 충고를 지킨다면, 덕있고 타고난 성품이 세상 사람들에게 받아들여지고, 평범한 사람의 삶이 늘 지속되도록 도우며, 후손들에게 행복을 가져다 줄 수 있습니다.

Cai Gen Tan 186)

Estas du maksimoj, kiujn oni devas sekvi servante kiel regna oficisto. La unua estas: senpartieco en juĝo naskas saĝon kaj prudenton. La dua: vera aŭtoritateco apartenas nur al honestaj regnaj oficistoj.

Estas du maksimoj, kiujn oni devas sekvi en sia mastrumado. La unua estas: nur toleremo kreas hejman kvietecon kaj harmonion. La dua: nur ŝparemo povas kovri ĉiujn familiajn elspezojn.

채근담 186)

나라의 관리로 섬길 때 따라야 할 두 가지 격언이 있습니다. 첫 번째는 공정한 판단이 지혜와 신중함을 낳는다는 것입니다. 두 번째는 진정한 권위는 정직한 관리에게만 있다는 것입니다.

가정을 이끌 때 따라야 할 두 가지 격언이 있습니다. 첫 번째는 오직 관용만이 가정의 평온과 조화를 만든다는 것입니다. 두 번째는 절약만이 가족의 모든 비용을 충당할 수 있다는 것입니다.

Cai Gen Tan 187)

Ĝuante riĉecon kaj altrangecon, vi devas koni la malfacilojn de tiuj, kiuj vivas en malriĉeco aŭ okupas malaltan socian situacion. En la floro de la aĝo, vi devas ĉiam memori, ke baldaŭ venos ankaŭ al vi kaduka maljuna aĝo.

채근담 187)

부와 높은 지위를 누리면서 가난하거나 사회적 지위가 낮은 사람들의 어려움을 알아야 합니다. 꽃피는 나이에는 당신도 머지않아 시든 노년이 오리라는 사실을 항상 기억해야 합니다.

Cai Gen Tan 188)

En viaj rilatoj kun aliaj, ne serĉu purecon tute senmakulan, kaj estu preta toleri ĉiajn insultojn kaj kalumniojn. Asociiĝante kun aliaj, faru vin ne tro elektema rilate personojn, kaj estu preta akcepti miksaĵon de kvalitoj bonaj kaj degenerintaj.

채근담 188)

다른 사람과의 관계에서 너무 흠 없는 깨끗함을 추구하지 말고 모든 모욕과 비방을 견디도록 준비를 하십시오. 다른 사람들과 교제할 때 사람들을 너무 까다롭게 여기지 말고 좋고 나쁜 특성이 뒤섞인 모습을 받아들이도록 준비를 하십시오.

Cai Gen Tan 189)

Ne altiru sur vin la malamikecon de malnobluloj; ili propre havas siajn malamikojn. Ne penu flati al nobluloj; ili ne rekompence donas favorojn por egoisma celo.

채근담 189)

천박한 자를 미워하지 마십시오. 그들은 본래 적을 가지고 있습니다. 군자에게 잘 보이려고 애쓰지 마십시오. 그들은 이기적인 목적을 위해 호의로 보답하지 않습니다.

Cai Gen Tan 190)

Malsanoj kaŭzitaj de senbridigo de siaj

deziroj estas kuraceblaj, sed malordoj, kiuj
venas de misperceptado pri cirkonstancoj
kaj tendencoj, estas malfacile ĝustigitaj.
Baroj formitaj el materialoj estas facile
detrueblaj, sed obstakloj al la ĝusta
kompreno pri justeco kaj vero estas
malfacile forigitaj.

채근담 190)

욕망을 억제하지 못해 생긴 병은 고칠 수 있지만
환경과 성향을 잘못 인식해 생긴 무질서는 고치기
어렵습니다. 물질로 만들어진 장벽은 허물기 쉽지만
정의와 진리에 대한 올바른 이해를 가로막는 장애물
은 제거하기 어렵습니다.

Cai Gen Tan 191)

Hardado de la korpo kaj menso devas
esti farata en la sama maniero, kiel la
fandado de oro je cent fojoj; fari tion en
hasta kaj senzorga maniero rezultigus
neperfektecon kaj eĉ fuŝon.
Entreprenado de afero devas esti kiel
streĉo de potenca arbalesto; nesufiĉa
streĉo malebligas al ĝi pafi la sagon; por

sukcese pafi ĝin, necesas uzi maksimuman forton.

채근담 191)

몸과 마음의 단련은 금을 백 번 녹이듯이 해야 합니다. 성급하고 부주의한 방식으로 그렇게 하면 불완전하고 엉망이 될 수 있습니다.
일의 착수는 강력한 석궁을 당기듯 해야 합니다. 장력이 충분하지 않으면 화살을 쏘지 못합니다. 성공적으로 쏘려면 최대한의 힘을 사용함이 필수입니다.

Cai Gen Tan 192)

En via kondutado, preferu esti enviata kaj kalumniata de malinduloj, ol esti flatata de ili, kaj preferu esti mallaŭdata de honestuloj, ol esti pardonata de ili.

채근담 192)

행동할 때 가치 없는 자들에게 아첨받기보다는 시기와 비난 받기를, 정직한 자들에게 용서받기보다는 꾸중듣기를 더 좋아하십시오.

Cai Gen Tan 193)

Profitemulo akiras profitojn je la kosto de justeco. La malbono, kiun li faris, estas evidenta al ĉiuj, sed ne tre malutila. Tiu, kiu avidas bonan reputacion, agas sub la mantelo de virto. La malbono, kiun li faras, estas kaŝita, sed ĝia malutilo estas tre grava.

채근담 193)

이익을 좋아하는 사람은 정의를 지불하고 이익을 얻기에 저지른 악행은 모든 사람에게 명백하지만 그 다지 해롭지는 않습니다. 좋은 평판을 탐하는 사람은 덕을 가장하고 행동하기에 저지른 악행은 은밀하지 만 피해는 매우 심각합니다.

Cai Gen Tan 194)

Ricevi abundan bonon kaj ne pensi pri repago; suferi iometon da maljusteco kaj nepre voli fari repagon; aŭdi malprecizajn detalojn pri alies malbonaj agoj kaj havi nenian dubon pri ili; kaj havi dubon pri bonaj agoj de evidente bona homo. Jen la manifestiĝoj de plej malbona karaktero, kiujn oni devas eviti.

채근담 194)

좋은 것을 많이 받고 갚을 생각을 하지 않는 것, 약간의 불의를 겪고 반드시 복수를 원하는 것, 다른 사람의 나쁜 행동에 대한 불확실한 세부 사항을 듣고 의심하지 않는 것, 확실히 좋은 사람의 착한 행동에 의심을 품는 것. 이것은 피해야 할 최악의 성격을 나타낸 것입니다.

Cai Gen Tan 195)

Kalumnio ĵetita sur honestan homon estas kiel flosanta nubeto; ĝi vualas la sunon nur momente kaj tre baldaŭ la suno denove aperos kaj klare brilos. Sed flato estas kiel vento, kiu enfiltriĝas tra fendeto kaj invadas la korpon; ĝia malutilo estas neperceptebla kaj tamen efektiva.

채근담 195)

정직한 사람을 비방하는 것은 떠다니는 작은 구름과 같습니다. 그것은 일시적으로 태양을 가리지만 곧 태양이 다시 나타나 밝게 빛날 것입니다. 그러나 아침은 틈새로 스며들어 몸을 공격하는 바람과 같습니다. 그 폐해는 느낄수 없지만 현실적입니다.

Cai Gen Tan 196)

Neniaj arboj kreskas sur altega, tro kruta montodeklivo, sed la serpentumaj valoj estas abundaj je vegetaĵoj. Neniaj fiŝoj restas en rapidaj torentoj, sed en trankvilaj kaj profundaj lagetoj estas granda kvanto da akvaj estaĵoj. Tiuj ĉi analogioj instruas al ni, ke ni devas gardi nin kiel kontraŭ trorigideco en kondutado, tiel ankaŭ kontraŭ ekstremeco kaj tromallarĝeco de spirito.

채근담 196)

너무 높고 가파른 산비탈에는 나무가 자라지 않지만 구불구불한 계곡에는 초목이 무성합니다. 급류에는 물고기가 뛰놀지 않지만 잔잔하고 깊은 연못에는 수많은 수생 생물이 삽니다. 이런 유사함이 알려주는 것은 우리 행동의 과도한 경직성을 경계해야 하듯 생각의 극단성이나 편협함을 경계하라는 가르침입니다.

Cai Gen Tan 197)

Homoj, kiuj rikoltas brilajn atingojn, plejparte estas modestaj kaj fleksiĝemaj. Tiuj, kiuj preskaŭ ĉiam renkontas malsukcesojn en siaj entreprenoj, certe estas obstinaj kaj rifuzas aŭskulti alies opiniojn.

채근담 197)

빛나는 성과를 거두는 사람들은 대부분 겸손하고 융통성이 있습니다. 사업에서 거의 항상 실패에 직면하는 사람들은 확실히 완고하고 다른 사람들의 의견 듣기를 거부합니다.

Cai Gen Tan 198)

Vivante en la socio vi ne devas blinde sekvi sociajn konvenciojn, nek fari vin originalulo; En ĉio, kion vi faras, ne lasu vin abomenata de aliaj, nek penu plaĉi al ili.

채근담 198)

사회 생활을 하면서 사회적 관습을 맹목적으로 따를 필요도 없고 독창적일 필요도 없습니다. 무슨 일을 하든지 남에게 미움을 받게 내버려두지 말고 기쁘게 하려고 애쓰지도 마십시오.

Cai Gen Tan 199)

La suno estas subironta, tamen la okcidenta ĉielo estas lumigata de brilaj rozkoloraj nuboj. La aŭtuno profundiĝas, tamen la oranĝfloroj estas pli bonodoraj, ol en iu ajn alia sezono. Simile en sia maljuna aĝo, la noblulo devas trovi sian spiriton multe refreŝigita kaj preta por pli elstaraj atingoj.

채근담 199)

해가 지려고 하는데 서쪽 하늘은 밝은 분홍빛 구름으로 빛납니다. 가을은 깊어가고 있지만 오렌지 꽃은 그 어느 계절보다 향기롭습니다. 마찬가지로 노년기에 군자는 자신의 정신이 훨씬 상쾌해지고 더 뛰어난 업적을 달성할 준비가 되어 있음을 발견해야 합니다.

Cai Gen Tan 200)

La aglo staras kvazaŭ dormante. La tigro vagas kvazaŭ malsanon suferante. Ĝuste en tiuj pozoj ili sin preparas por kapti kaj engluti sian predon. En simila maniero la noblulo devas sin deteni de elmontro de sia saĝeco kaj kapabloj. Nur tiel li povos esti kompetenta surŝultrigi pezajn ŝarĝojn.

채근담 200)

독수리는 잠자는 것처럼 서 있습니다. 호랑이는 병에 걸려 괴로운 듯 방황합니다. 먹이를 잡아 삼킬 준비를 하는 것은 바로 이러한 자세입니다. 마찬가지로 군자도 자신의 지혜와 능력을 나타내지 말아야 합니다. 그래야만 무거운 짐을 짊어질 수 있습니다.

Cai Gen Tan 201)

Ŝparemo estas bela kvalito, sed se ĝi estas puŝita ĝis ekstremeco, ĝi fariĝas avareco kaj rezultigas difekton al la deca konduto, kiun oni propre havas. Ankaŭ modesteco estas bona virto, sed se ĝi estas puŝita ĝis ekstremeco, ĝi fariĝas naŭza trohumiliĝo, kaj rezulte de tio oni estas suspektata de aliaj pri malfidindeco.

채근담 201)

검약은 아름다운 자질이지만 극단적으로 치우치면 구두쇠가 되어 개인적으로 품위 있는 행실을 손상시키는 결과를 낳습니다. 겸손도 좋은 덕목이지만 극단적으로 치우치면 심히 역겨운 비굴한 자가 되어, 결과적으로 남들에게 믿을 수 없는 사람이라는 의심을 받게 됩니다.

Cai Gen Tan 202)

Ne ĉagreniĝu pro aferoj, kiuj ne estas laŭ via deziro; ne ĝoju pro aferoj, kiuj estas portempe ĝojindaj; ne esperu, ke longe daŭros stabileco; kaj ne timiĝu ĉe la malfacila komenco de viaj entreprenoj.

채근담 202)

뜻대로 일이 되지 않는다고 속상해 하지 마십시오. 일시적인 기쁜 일로 기뻐하지 마십시오. 안정이 오래 지속되기를 바라지 말고 사업을 시작함에 어려움을 두려워하지 마십시오.

Cai Gen Tan 203)

Familio, kiu ofte drinkas kaj bankedas, ne estas bona familio. Klerulo, kiu tro ĝuas belan muzikon kaj plezurojn de karno, ne estas bona klerulo. Regna oficisto, kiu donas troan atenton al sia rango, neniel povas esti bona regna oficisto.

채근담 203)

자주 술을 마시고 잔치를 벌이는 가족은 좋은 가족이 아닙니다. 아름다운 음악과 육체의 쾌락을 지나치게 즐기는 선비는 좋은 선비가 아닙니다. 자신의 지위에 지나치게 관심을 기울이는 나라의 관리는 결코 좋은 관리가 될 수 없습니다.

Cai Gen Tan 204)

Oni kutime rigardas kiel plezurojn la aferojn, kiuj lin kontentigas, sed la menso ebriigita de plezuroj neeviteble falos en abismon de mizero. La homo filozofema rigardas kiel plezuron la spitadon al aferoj, kiuj lin ne kontentigas, kaj finfine la amareco ŝanĝiĝas en lian feliĉon.

채근담 204)

사람은 대개 자기를 만족시키는 것을 즐거움으로 여기지만, 쾌락에 도취된 마음은 필연적으로 비참함의 나락에 빠지게 됩니다. 철학적인 사람은 자기를 만족시키지 못하는 것에 대한 저항을 즐거움으로 여기는데, 결국 괴로움이 행복으로 변합니다.

Cai Gen Tan 205)

Tiu, kiu havas ĉion, kion lia koro deziras, estas kiel vazo plenigita ĝis la rando: unu guto pli, kaj la likvaĵo superfluos. Tiu, kiu estas en krizo, estas kiel lignopeco en ekstrema rompiĝonteco: ankoraŭ iom da premo, kaj ĝi ekrompiĝos.

채근담 205)

마음에 원하는 것을 모두 가진 사람은 가장자리까지 가득찬 그릇과 같아서 한 방울만 더 넣으면 넘칩니다. 위기에 처한 사람은 부서지기 직전의 나무토막과 같아서 조금만 더 힘을 가하면 부서집니다.

Cai Gen Tan 206)

Per kvietaj okuloj taksu homojn; per kvietaj oreloj aŭskultu iliajn vortojn; per kvieta koro traktu ĉiujn aferojn; kaj per kvieta menso faru rezonadon.

채근담 206)

눈으로 조용하게 사람들을 평가하십시오. 귀로 조용하게 말씀을 들으십시오. 마음으로 조용하게 일을 처리하십시오. 그리고 머리로 조용하게 추론을 하십시오.

Cai Gen Tan 207)

La noblulo havas grandanimecon kaj malkaŝeman koron. Li estas prospera kaj eterne feliĉa, kaj ĉio, kion li faras, estas karakterizata de grandanimeco kaj malkaŝemo. Sed la trivialulo vivas mizeran vivon, ĉar lia vido estas mallarĝa kaj mallonga, kaj ĉio, kion li faras, estas limigita kaj malvastigita.

채근담 207)

군자는 관대함과 솔직한 마음을 가지고 있습니다. 그래서 번영하고 영원히 행복하며, 하는 모든 일에는 관대함과 개방성이 특징입니다. 그러나 소인배는 시야가 좁고 짧으며, 하는 모든 일이 제한되고 협소하여 비참한 삶을 삽니다.

Cai Gen Tan 208)

Kiam vi aŭdas, ke iu faris ian malbonon, ne tuj kondamnu lin, ĉar povas esti, ke lia malamiko intence disvastigas kalumnion. Kiam vi aŭdas, ke iu faris ian bonon, ne tuj intimiĝu kun li, ĉar povas esti, ke tio estas lia artifiko fari vin alirebla por li, kun la celo esti promociita.

채근담 208)

어떤 사람이 잘못했다는 말을 들었을 때 즉시 그 사람을 정죄하지 마십시오. 그 사람의 원수가 고의로 비방을 퍼뜨리고 있는 것일 수도 있기 때문입니다. 어떤 사람이 좋은 일을 했다는 소식을 들었을 때 즉시 그 사람과 친해지지 마십시오. 이는 승진할 목적으로 당신이 다가가도록 만들기 위한 그 사람의 속임수일 수 있기 때문입니다.

Cai Gen Tan 209)

Homo, kiu estas hastema kaj malzorgema, fuŝas ĉion, kion li entreprenas, dum homo, kiu estas kvietema kaj pacema, ĉiam trovas benojn alvenantaj al li unu post alia.

채근담 209)

성급하고 부주의한 사람은 하는 일마다 망하게 되는데 반해, 조용하고 평화로운 사람은 복이 차례로 찾아옴을 늘 발견합니다.

Cai Gen Tan 210)

En via uzado de personaro, ne estu tro severa, nek tro postulema, alie vin forlasos tiuj, kiuj povus esti utilaj al vi. Ne amikiĝu kun iu ajn sendistinge, alie vi kolektos ĉirkaŭ vi nur flataĉulojn .

채근담 210)

사람을 쓸 때 너무 엄격하게 대하거나 지나치게 요구하지 마십시오. 그렇지 않으면 도움이 될 수 있는 사람들에게 버림받게 됩니다. 누구와도 무분별하게 친구를 사귀지 마십시오. 그렇지 않으면 아첨꾼들만 주위에 모일 겁니다.

Cai Gen Tan 211)

En la tempo de forta ŝtormo, firme staru sur viaj piedoj. Kiam ĉio prosperas al vi kaj viaj aferoj brile floras, direktu vian rigardon pli malproksimen. Kiam la vojo de la vivo estas tro malfacila kaj danĝera, vin returnu kiel eble plej frue tien, de kie vi venis.

채근담 211)

강한 폭풍우가 몰아칠 때, 굳건히 두 발로 서십시오. 모든 것이 잘되고 일이 빛나게 꽃 필 때, 눈길을 더욱 멀리 향하십시오. 인생의 길이 너무 힘들고 위험할 때, 가능한 한 빨리 왔던 곳으로 돌아가십시오.

Cai Gen Tan 212)

Persono strebanta al honesteco kaj justeco devas hardi sian karakteron per afableco, por eviti konflikton kun aliaj. Persono posedanta altajn honorojn kaj rangon devas kulturi al si la virton per modesteco, por eviti veki ĉe aliaj envion, kiu estus kontraŭ li.

채근담 212)

정직과 정의를 추구하는 사람은 다른 사람과의 갈등을 피하기 위해 친절의 성품을 단련해야 합니다. 높은 명예와 지위를 가진 사람은 자신에게 반대되는 다른 사람들의 질시를 피하기 위해 겸손의 미덕을 스스로 키워야 합니다.

Cai Gen Tan 213)

Tenante regnan oficon, vi devas esti ne facile alirebla por tiuj, kiuj venas al vi kun rekomenda letero por si aŭ por iu alia. Tiamaniere vi povas vanigi la penojn de flatuloj ricevi oficon aŭ promociiĝon per hazardo. Retiriĝinte el la ofico, vi ne devas teni vin orgojle, nek fari vin malfacile alirebla por viaj najbaroj kaj viaj antaŭaj subuloj. Anstataŭe, vi devas plifortigi la malnovajn ligilojn de amikeco kun ili.

채근담 213)

나라의 관리가 된 때에는 자신이나 다른 사람을 위해 추천서를 가지고 찾아오는 사람들이 쉽게 접근할 수 있어서는 안 됩니다. 이렇게 해야 요행으로 지위나 승진을 얻으려는 아첨꾼들의 노력을 좌절시킬 수 있습니다. 퇴임한 후에는 너무 위엄을 부리지 말아서, 이웃이나 전 부하들의 접근을 어렵게 해서는 안 됩니다. 그 대신에 그들과의 오랜 우정의 유대를 강화해야 합니다.

Cai Gen Tan 214)

Estas nepre necese time respekti tiujn en alta ofico, por ke vi ne englitu en malzorgemon kaj malseriozecon. Estas nepre necese trakti kun respekto ankaŭ ordinarajn homojn, por ke vi ne havigu al vi malbonan reputacion de loka despoto.

채근담 214)

　부주의와 경박함에 빠지지 않도록 고위직에 있는 사람들을 두려워하고 존경하는 것이 절대적으로 필요합니다. 지방 독재자라는 나쁜 평판을 얻지 않으려면 평범한 사람들도 존경하며 대우하는 것이 절대적으로 필요합니다.

Cai Gen Tan 215)

　Se viaj aferoj ne iras bone kiel vi deziras, pensu pri tiuj, kiuj estas en ankoaraŭ pli malbona situacio, kaj tiam via plendemo malaperos. Kiam vi estas deprimita, pensu pri tiuj, kiuj superas vin per siaj atingoj, kaj tiam vi ree pleniĝos de entuziasmo.

채근담 215)

　자신의 일이 뜻대로 되지 않는다면, 그보다 더 나쁜 처지에 있는 사람을 생각해 보십시오. 그러면 불평은 사라질 것입니다. 당신이 우울할 때, 당신을 능가하는 성취를 이룬 사람들을 생각해 보십시오. 그러면 당신은 다시 열정으로 가득 차게 될 것입니다.

Cai Gen Tan 216)

Vi ne devas facilanime fari promesojn nur pro via bonhumoriĝo. Vi ne devas furioziĝi per la influo de alkoholaĵo. Vi ne devas provoki kverelojn sub momenta impulso. Vi ne devas forlasi taskon pretekste de laciĝo.

채근담 216)

기분이 좋다는 이유로 가볍게 약속을 해서는 안 됩니다. 술 때문에 화를 내서는 안 됩니다. 순간적인 자극때문에 논쟁을 일으켜서는 안 됩니다. 피곤하다 는 핑계로 일을 그만둬서는 안 됩니다.

Cai Gen Tan 217)

Tiu, kiu lertas en studado, kapablas kompreni la esencon de libro ĝis tia grado, ke li eĉ ekdancigas siajn manojn kaj piedojn pro ravo. Nur tiam li povas eviti kontentiĝi nur per kompreno de la laŭvortaj signifoj de la teksto. Tiu, kiu lertas en observado de fenomenoj, observas ĝis tia grado, ke lia spirito preskaŭ kunfandiĝas kun la objekto en unu tuton. Nur tiam li povas kapti la esencon de la objekto anstataŭ rigide alkroĉiĝi al ĝia ekstera formo.

채근담 217)

공부를 잘하는 사람은 황홀해서 손발을 춤출 정도로 책의 본질을 이해할 수 있습니다. 그래야만 본문의 문자적 의미를 이해하는 것만으로 만족하지 않을 수 있습니다. 현상을 잘 관찰하는 사람은 정신이 대상과 거의 하나의 전체로 합쳐질 정도로 관찰합니다. 그래야만 대상의 외형에 집착하지 않고 본질을 파악할 수 있습니다.

Cai Gen Tan 218)

La Ĉielo saĝigas unu homon, por ke li povu instrui la malklerajn popolamasojn. Sed troviĝas homoj, kiuj paradas per siaj talentoj kaj scioj nur por montri, kiel mankas al la aliaj tiuj ĉi kvalitoj. La Ĉielo riĉigas unu homon, por ke li povu helpi mildigi la mizeron de la popolamasoj. Sed troviĝas riĉuloj, kiuj uzas siajn riĉaĵojn por brutale trakti malriĉulojn. Tiuj du specoj de personoj ja pekas kontraŭ la Ĉielo.

채근담 218)

하늘은 한 사람을 지혜롭게 하여 어리석은 많은 사람을 가르칠 수 있게 하십니다. 하지만 다른 사람들에게는 이러한 자질이 얼마나 부족한지 보여주려고 자신의 재능과 지식을 과시하는 사람들이 있습니다. 하늘은 한 사람을 부유하게 하여 많은 사람의 불행을 덜어주도록 돕습니다. 하지만 자신의 재산을 이용해 가난한 사람들을 잔인하게 대하는 부자들이 있습니다. 그 두 부류의 사람이 하늘에 죄를 짓는 것입니다.

Cai Gen Tan 219)

Personoj de superaj virto kaj saĝo estas liberaj de vulgaraj zorgoj; personoj, kiuj estas denaske pli aŭ malpli stultaj, ne kapablas klare percepti, nek ĝuste kompreni. Vi povas studi kaj krei ion kune kun tiuj du specoj de homoj. Personoj, kiuj estas denaske dotitaj per nur mezkvalita intelekto, havas certan gradon de percept- kaj kompren-kapabloj. Tiaj homoj estas subjektivemaj kaj suspektemaj, tiel ke estas malfacile kunlabori kun ili.

채근담 219)

덕과 지혜가 뛰어난 사람은 속된 걱정을 하지 않습니다. 태어날 때부터 다소 어리석은 사람들은 명확하게 인식할 수도 없고 정확하게 이해할 수도 없습니다. 당신은 그 두 부류의 사람들과 함께 공부하고 무언가를 만들 수 있습니다. 평균적인 지능만을 타고난 사람은 어느 정도의 지각력과 이해력을 가지고 있습니다. 그런 사람들은 주관적이고 의심이 많아서 함께 일하기가 어렵습니다.

Cai Gen Tan 220)

La buŝo estas la pordo de la koro. Se ĝi ne estas hermetike gardata, viaj veraj motivoj kaj intencoj ĉiuj estos lasataj tralikiĝi. Pensoj estas la piedoj de la koro. Se la pensoj ne estas bone regataj, vi povos trovi vin sur la malĝusta vojo.

채근담 220)

입은 마음의 문입니다. 만약 밀봉하지 않으면 당신의 진심과 모든 의도가 새어나가게 될 것입니다. 생

각은 마음의 발입니다. 생각이 잘 통제되지 않으면
잘못된 길로 들어서게 될 수 있습니다.

Cai Gen Tan 221)

Se persono, kiu riproĉas iun alian, devas
serĉi ion neriproĉindan en ties kulpo kaj
tiun pardoni, tiam la riproĉato havos
pacon en la koro. Se persono, kiu
ekzamenas sian propran konduton, devas
serĉi ion riproĉindan meze de siaj
senkulpaj agoj kaj ĝin korekti, tiam rezulte
de tio lia virto pliboniĝas.

채근담 221)

남을 꾸짖는 사람이 그 사람의 잘못에서 뭔가 책
망받지 않을만한 것을 찾아그 죄를 용서해 주면, 책
망받은 사람은 마음에 평안을 얻게 됩니다. 자신의
행위를 성찰하는 사람이 자신의 죄없는 행위 가운데
서 비난할 만한 점을 찾아서 바로잡으면 이로 인해
그의 덕이 향상됩니다.

Cai Gen Tan 222)

Infano estas plenaĝulo en embrio. Klerulo

estas altranga regna oficisto en embrio. Se deca edukado ne estas donata en tiu ĉi stadio, tiam nek la homo en la socio, nek la altranga regna oficisto en la kortego povos bone kaj plene uzi sian talenton.

채근담 222)

어린 아이는 어른의 씨앗입니다. 학자는 나라의 고위 관리의 씨앗입니다. 이 단계에서 제대로 된 교육을 하지 않으면 사회인도, 나라의 고위 관리도 자신의 재능을 마음껏 발휘할 수 없습니다.

Cai Gen Tan 223)

Kiam noblulo trovas sin en malfeliĉo aŭ mizero, li ne lasas sian menson afliktita; sed kiam li estas en festenado aŭ plezurĝuado, li sentas maltrankvilecon kaj estas vigle atenta. Renkontiĝante kun riĉulo aŭ potenculo, li ĉiam estas sentima; sed kondutante kontraŭ tiuj, kiuj estas forlasitaj kaj senhelpaj, li ĉiam estas kompatema.

채근담 223)

군자는 불행이나 곤경에 처했을 때 마음에 근심하
지 않습니다. 그러나 잔치를 벌이거나 즐길 때는 불
안함을 느끼고 깨어 조심합니다. 부자나 권력자를 만
날 때는 항상 두려움이 없습니다. 그러나 버림받고
무력한 사람들을 대할 때는 항상 긍휼히 여깁니다.

Cai Gen Tan 224)

Persikaj kaj prunaj floroj estas
brilkoloraj, sed kiel ilia brilkoloreco povas
esti komparata kun la konstanteco de la
ĉiamverdaj pinoj kaj cipresoj, kiuj
prosperas la tutan jaron?
Pir-kaj abrikotarboj portas sukajn,
dolĉajn fruktojn, sed kiel ilia suka dolĉeco
povas esti komparata kun la delikata
aromo de la oranĝoj kaj mandarinoj?
La brilkoloraj ja rapide velkas, dum la
palkoloraj daŭras. Fruktarboj, kiuj frue
floras, estas kvalite malsuperaj al tiuj, kiuj
malfrue venas al fruktado. Kiel profunda
estas tiu ĉi vero?

채근담 224)

복숭아꽃과 매화꽃은 찬란한 색깔을 띠고 있지만, 일년 내내 무성한 상록수 소나무와 편백나무의 변함 없는 색깔과 그 찬란한 색깔을 어떻게 비교할 수 있습니까?

배와 살구나무는 즙이 많고 달콤한 과일을 맺습니다. 하지만 그 과즙이 풍부한 단맛을 오렌지와 감귤의 섬세한 향기에 어떻게 비교할 수 있습니까?

반짝이는 것은 빨리 사라지고, 연한 것은 오래 갑니다. 일찍 꽃이 피는 과수는 늦게 열매를 맺는 나무에 비해 품질이 떨어집니다. 이 진리는 얼마나 깊습니까?

Cai Gen Tan 225)

Nur kiam oni vivas meze de kvieteco kaj trankvileco, oni povas percepti la veran sencon de la homa vivo. Nur kiam oni estas nutrata per kruda nutraĵo kaj vivas sen luksa ĝuo, oni povas ekkoni la veran aspekton de la homa naturo.

채근담 225)

고요함과 편안함 속에서 살아갈 때에만 인간 삶의

진정한 의미를 인식할 수 있습니다. 거친 음식을 먹고 사치스러운 향락 없이 살아갈 때에만 인간 본성의 참 모습을 알 수 있습니다.

Dua parto

Cai Gen Tan 226(D1)

Tiuj, kiuj konstante parolas pri la plezuroj de la ermita vivo, ne nepre vere komprenas la agrablecon de tia vivo. Tiuj, kiuj konfesas, ke ili trovas malplaĉe babili pri la rango kaj riĉeco, ne nepre jam komplete forpelis el sia menso la deziron je rango kaj riĉeco.

채근담 226(후1)

은둔 생활의 즐거움에 대해 끊임없이 이야기하는 사람들은 반드시 그러한 생활의 즐거움을 실제로 이해한 것은 아닙니다. 지위와 부에 관해 이야기하는 것이 불쾌하다고 고백하는 사람들은 반드시 마음에서 지위와 부에 대한 욕망을 완전히 추방한 것은 아닙니다.

Cai Gen Tan 227(D2)

Fari hokfiŝadon ĉe akvo estas agrabla kaj eleganta okupo, sed eĉ en tiu ĉi okupo vi tamen tenas la povon decidi pri vivo aŭ morto. La ludo de *vejĉio estas amuza distraĵo, sed eĉ dum tiu ĉi ludo la batalemo tamen loĝas en via koro. Tial, plezuro en ago ne estas tiel bona kiel evito de ago, kaj abundo de talento estas malsupera al manko de talento en la konservo de la homa vera naturo.

*vejĉio : ludo ludata per nigraj kaj blankaj globetoj sur tabulo kun 361 krucpunktoj.

채근담 227(후2)

물에서의 낚시는 즐겁고 우아하지만, 여기에도 여전히 삶과 죽음을 결정할 힘을 쥐고 있습니다. 바둑은 재미있는 기분 전환이지만, 이 게임을 하는 동안에도 여전히 투지가 마음 속에 남아 있습니다. 그러므로 행위의 즐거움은 행위를 회피하는 것만 못하며, 인간의 본성을 보존하는 데에는 재능이 많은 것보다 재능이 부족한 것이 더 낫습니다.

*바둑: 361개의 점이 있는 판자 위에 검은색과 흰색의 작고 둥근돌을 가지고 하는 경기입니다.

Cai Gen Tan 228(D3)

En printempo la birdoj kantas, la floroj
floras, kaj la montoj kaj valoj vestiĝas per
luksaj brilkolorajoj. Sed ĉio ĉi tio estas
nenio alia ol iluzia mondo, sub la ŝajno de
la miriadoj da estaĵoj de la Naturo. Kiam
aŭtune la montaj riveretoj sekiĝas,
malkaŝante la nudajn rokojn, la arboj
velkas, kaj la krutaĵoj kalviĝas, tiam la
Naturo montras sian fizionomion veran.

채근담 228(후3)

봄에는 새들이 지저귀고, 꽃이 피고, 산과 계곡이
화사하고 밝은 색으로 물들입니다. 그러나 이 모든
것은 자연의 무수한 존재가 꾸며내는 환상의 세계일
뿐입니다. 가을이 되면 개울물이 말라 맨바위가 드러
나고, 나무가 시들고, 절벽이 벗겨지면 자연은 그 진
면목을 드러냅니다.

Cai Gen Tan 229(D4)

La tempo, en sia esenco, estas senlima,
sed la homoj, kiuj estas multe okupitaj,
reduktas ĝin mallonga. La mondo propre

estas vasta, sed la homoj, kiuj estas malgrandanimaj, trovas ĝin malvasta. La belaĵoj de la Naturo ekzistas ja por homa ĝuo, sed la homoj zorgoplenaj kaj senripozaj rigardas ilin nur kiel superfluaĵojn.

채근담 229(후4)

시간은 본질적으로 제한이 없지만, 매우 바쁜 사람들은 시간을 짧게 줄입니다. 세상은 넓지만 소심한 사람은 세상을 좁게 여깁니다. 자연의 아름다움은 인간의 즐거움을 위해 존재하지만, 근심에 가득 차 있고 불안한 사람들은 그것을 단순히 쓸모없다고 여깁니다.

Cai Gen Tan 230(D5)

Por ĝui la belojn de la Naturo, ne estas necese iri al multaj famaj pitoreskejoj; pelvogranda lageto aŭ pugnogranda ŝtono estas sufiĉa por enteni ĉiajn belaĵojn de la naturaj pejzaĝoj. Por kapti la ĉarman subtilecon de la Naturo, ne estas necese vojaĝi al malproksimaj montoj, riveroj aŭ lagoj; estas sufiĉe agrable sidi kviete en kabano kun fenestro plektita el branĉetoj kaj lasi al la venteto karesi viajn vangojn kaj al la luno verŝi lumon sur vin.

채근담 230(후5)

자연의 아름다움을 즐기기 위해 꼭 유명한 명승지를 많이 찾아다닐 필요는 없습니다. 분지 크기의 연못이나 주먹만한 돌 하나면 자연경관의 아름다움을 모두 담기에 충분합니다. 자연의 매력적인 미묘함을 포착하기 위해 먼 산이나 강, 호수로 여행할 필요는 없습니다. 나뭇가지로 엮은 창문이 있는 오두막에 조용히 앉아 산들바람이 뺨을 어루만지고 달빛을 흠뻑 받으니 꽤 기분이 좋습니다.

Cai Gen Tan 231(D6)

La sono de la templa sonorilo en kvieta nokto povas veki homon el la granda vivosongo. La lunlumo reflektita sur la klara lageto povas ekvidigi al li la animon ekster la karno.

채근담 231(후6)

고요한 밤에 울리는 절의 종소리는 인생이라는 커

다란 꿈에서 사람을 깨울 수 있습니다. 맑은 연못에 반사된 달빛은 육체 너머 영혼을 볼 수 있게 합니다.

Cai Gen Tan 232(D7)

La trilado de birdoj kaj la ĉirpado de insektoj esprimas iliajn internajn sentojn. La kolorbrileco de floroj kaj la verdfreŝeco de herboj konkretigas la misterajn leĝojn de la Naturo. Kiam la spirito de klerulo estas hela kaj lia menso estas klara, li povas ĉiam havi ian komprenon kaj inspiriĝi el io ajn, kun kio li venas en kontakton.

채근담 232(후7)

새들의 지저귀는 소리와 벌레들의 찍찍대는 소리는 그들의 내면의 감정을 표현합니다. 꽃의 화려한 색채와 풀의 싱싱한 녹색은 신비로운 자연의 법칙을 구체적으로 형상화합니다. 선비의 정신이 밝고 마음이 맑으면, 무엇을 접하든 항상 통찰력을 갖고 영감을 얻을 수 있습니다.

Cai Gen Tan 233(D8)

Oni scias legi librojn skribitajn per skriboformoj, sed ne scias legi librojn skribitajn sen tiaj formoj. Oni scias ludi nur liutojn, kiuj havas kordojn, sed ne scias ludi liutojn, kiuj havas neniajn kordojn. Kiam oni utiligas aĵojn, oni alkroĉiĝas al iliaj eksteraj formoj anstataŭ kapti iliajn internajn spiritojn. Legante librojn kaj ludante liutojn en tia maniero, kiel do oni povus trovi verajn plezurojn en ili?

채근담 233(후8)

우리는 글쓰기 형식으로 쓰여진 책은 읽을 줄 알지만, 그런 형식 없이 쓰여진 책은 읽을 줄 모릅니다. 현이 있는 루트는 연주할 줄 알지만, 현이 없는 루트는 연주할 줄 모릅니다. 사물을 이용할 때, 그들 내면의 정신을 포착하는 대신 외적인 형태에 집착합니다. 그런 식으로 책을 읽고 루트를 연주하는데, 어떻게 그 안에서 진정한 즐거움을 찾을 수 있겠습니까?

Cai Gen Tan 234(D9)

Se homo havas neniajn materialajn dezirojn, liaj pensoj estas tiel brilaj kaj foren-atingaj, kiel sennuba aŭtuna ĉielo aŭ vasta serena maro. Se homo havas liuton kaj librojn kun si por kompanio, la loko, kie li vivas, aperas al li kiel ermitejo for de la brua mondo aŭ kiel fea lando, kiu estas lumoplena tage kaj nokte.

채근담 234(후9)

사람에게 물질적 욕망이 없으면 생각은 구름 한 점 없는 가을 하늘 또는, 넓고 고요한 바다처럼 밝고 멀리까지 갑니다. 사람에게 교제를 위한 루트와 책이 있으면 사는 곳은 시끄러운 세상에서 벗어난 은둔처 또는, 낮과 밤 모두 빛이 가득한 요정의 나라가 됩니다.

Cai Gen Tan 235(D10)

Aro da gastoj kaj brua festenado gajigas la homan koron ĝis plena kontenteco. Sed baldaŭ, malfrue en la nokto, la kandeloj jam estas forbrulintaj, la incenso estingiĝis, kaj la aroma teo estas malvarma, tiam la vinrestaĵo fariĝas malloga kaj odoraĉas naŭze. — Ĉio en la mondo ĝenerale estas kiel tiela: satĝuo de plezuro kondukas al aflikto. Kial do oni ne vekiĝu plej frue el tio ĉi?

채근담 235(후10)

많은 손님들과 시끄러운 잔치는 인간의 마음을 충만한 만족에 이르기까지 기쁘게 합니다. 그러나 곧 늦은 밤이 되자 양초는 이미 다 타버렸고, 향도 꺼지고, 향기로운 차는 식고, 남겨진 술은 매력이 없고 역겨운 냄새가 납니다. — 세상의 모든 일은 일반적으로 이렇습니다. 쾌락에 대한 포만감은 괴로움으로 이어집니다. 사람들은 왜 가능한 한 빨리 이 상황에서 깨어나지 않습니까?

Cai Gen Tan 236(D11)

Se vi povas trovi la ĝojon, kiu estas en ĉio de tiu ĉi banala mondo, tiam la tuta pitoreskeco de la *Kvin Grandaj Lagoj estos kvazaŭ entenata en via koro. Se vi povas konstati, ke ĉia ŝanco sin prezentas ĝuste antaŭ viaj okuloj, tiam vi povos

kompreni, en kio kuŝas la esenca heroeco
de ĉiuj herooj de la antikveco.

*Kvin Grandaj Lagoj : estas malsamaj
klarigoj pri tiu ĉi esprimo en la antikveco.
Nun ĝi aludas Dongting en la nuna
Hunan-provinco, Poyang en la nuna
Jianxi-provinco, Taihu kaj Hongze en la
nuna Jiangsu-provinco, kaj Chaohu en la
nuna Anhui-provinco.

채근담 236(후11)

이 평범한 세상의 모든 것에 깃든 기쁨을 찾을 수
있다면 오대호의 모든 아름다움이 그대로 마음속에
담겨질 것입니다. 모든 기회가 바로 눈앞에 나타난다
는 것을 인정할 수 있다면 고대의 모든 영웅들의 본
질적인 영웅주의가 무엇인지 이해할 수 있을 것입니
다.

*오대호: 고대에는 이 표현에 대해 다양한 설명이
있습니다. 현재의 후난성(湖南省)의 둥팅(洞亭), 현재
의 건시성(建西省)의 포양(波陽), 현재의 장쑤성(江蘇
省)의 태호(泰湖)와 홍택(洪澤), 현재의 안후이성(朝船
省)의 차오후(朝湖)를 가리킨다.

Cai Gen Tan 237(D12)

Se la montoj, la riveroj kaj la tero povas esti kalkulataj kiel ne pli ol etaj polveroj, tiam kiel multe pli malgranda la homo devas ŝajni! Se nia korpo el karno kaj sango finfine povas esti reduktita al ne pli ol aerveziketo, tiam kiel multe pli efemeraj devas ŝajni la rango kaj potenco, kiuj estas ekster nia korpo! Kaj tamen oni ĝenerale ne povas havi tian klaran percepton kaj tian ĝisfundan sagacecon krom tiu, kiu posedas superegan saĝecon.

채근담 237(후12)

산, 강, 땅이 단지 작은 먼지에 불과하다면, 인간은 얼마나 더 작은 것처럼 보일까요. 살과 피로 된 우리의 몸이 마침내 공기 방울로 줄어들 수 있다면, 우리 몸 밖에 있는 지위와 권세는 얼마나 더 덧없게 보일까요. 그러나 최상의 지혜를 소유한 사람 외에는 그렇게 분명한 지각과 깊은 지혜를 보통 가질 수 없습니다.

Cai Gen Tan 238(D13)

Nun ke la vivo estas tiel pasanta kiel fajrero produktita per frapo sur siliko, kiom da tempo do estas por la vanta konkurado? Nun ke la mondo estas tiel malgranda kiel la korneto de heliko, kiom da teritorio do vi povas elŝiri al vi per forto?

채근담 238(후13)

지금 인생은 부싯돌을 쳐서 생긴 불씨처럼 지나가니, 헛된 경쟁을 벌이는 데 얼마나 많은 시간이 걸릴까요? 지금 세상은 달팽이 뿔만큼 작으니, 힘으로 얼마나 많은 영토를 빼앗을 수 있을까요?

Cai Gen Tan 239(D14)

Kiam la oleo en lampo estas forkonsumiĝinta, la lampo ne plu produktas flamon. Kiam la vesto eluziĝis, ĝi ne plu ŝirmas la korpon kontraŭ malvarmo. Kiel mizeraj estas la du scenoj, en kiuj homo estas prezentata! Se persono havas sian korpon kiel putran lignon kaj sian koron kiel malvarman cindron, li neniel evitos fali en la absolutan malplenecon.

채근담 239(후14)

등불의 기름이 다 떨어지면 등불은 더 이상 불꽃을 내지 않습니다. 옷이 낡아지면 더 이상 추위에서 몸을 지킬 수 없습니다. 인간이 등장하는 두 장면은 얼마나 비참합니까! 사람의 몸이 썩은 나무 같고 마음이 차가운 재와 같으면 절대 공허에 빠지지 않을 리가 없습니다.

Cai Gen Tan 240(D15)

Kiam homo sin okupas pri iu tasko, li devas ĉesi tuj kiam li trovas konvena la momenton por ĉesi. Se li heziteme serĉas okazon por ĉeso, la situacio estos kiel tiu de edziĝo: kvankam la procezo estas finita, restos tamen ne malmultaj aferoj farendaj. Fariĝi bonzo aŭ taŭista pastro estas bona afero, sed la mondaj zorgoj ne estas tute forpelitaj el la koro. Antikva proverbo diras: "Se la tempo jam venas por ripozo, do tuj ripozu. Sed se vi serĉas okazon por fini vian laboron, ĝi kontraŭe neniam estos finita." Kiel saĝaj estas tiuj ĉi vortoj!

채근담 240(후15)

어떤 일을 하고 있을 때, 멈추어야 할 적당한 순간이 오면 즉시 멈춰야 합니다. 머뭇거리며 멈출 기회를 찾으면 상황은 마치 결혼식의 상황처럼 될 것입니다. 비록 과정은 끝났지만 여전히 해야할 일이 많이 남아 있을 것입니다. 스님이 되거나 도사가 되는 것은 좋은 일이지만, 세상의 염려가 마음에서 완전히 사라지지는 않습니다. 옛 속담은 말합니다. "쉬어야 할 때가 오면 즉시 쉬십시오. 그러나 일을 끝낼 기회를 찾으면 일은 결코 끝나지 않을 것입니다." 이 얼마나 지혜로운 말씀입니까!

Cai Gen Tan 241(D16)

Se vi, en tempo de kvieteco, pensas pri la bruado kaj hastado, vi trovas, kiel vanta estis la klopodado. Se vi liberigas vin de multeokupiteco kaj ĝuas ripozon dum momento, vi trovas, kiel longedaŭra estas la gusto de la ĝuo de libertempa trankvileco.

채근담 241(후16)

고요한 시간에 소음과 서두름을 생각해보면 노력이 얼마나 헛된 것인지 알게 됩니다. 바쁜 일상에서 벗어나 잠시나마 쉼을 누리다 보면 여유로움을 즐기는 맛이 얼마나 오래 지속되는지 알게 됩니다.

Cai Gen Tan 242(D17)

Al homo, kiu rigardas riĉecon kaj altrangecon kiel ŝvebantajn nubojn, ne estas nepre necese izoli sin en malproksimaj montoj kaj vivi ermitan vivon. Persono, kiu ne havas inklinon por la pejzaĝo de montoj kaj riveretoj, povas tamen droni en drinkado kaj de tempo al tempo recitadi poeziaĵojn.

채근담 242(후17)

부와 지위를 떠다니는 구름처럼 여기는 사람이 먼 산에 따로 떨어져 은둔 생활을 할 필요는 전혀 없습니다. 산천의 풍경을 좋아하지 않는 사람이라도 술을 마시고 이따금 시를 읊을 수가 있습니다.

Cai Gen Tan 243(D18)

Se aliaj volas iri ĉasi famon kaj riĉecon,
lasu al ili tion fari. Ne estas necese
malŝati ilin pro tio, ke ili havas fortan
inklinon al tiaj aferoj. Se via menso estas
kvieta kaj memkontenta, kaj vi ne emas
serĉi famon kaj riĉecon, vi do ne
fanfaronu, ke nur vi sola restas
sobramensa. Jen kion la budhismo instruas
al ni: "Ne estu katenita de mondaj aferoj,
nek konfuzita per iluzioj, kaj vi liberos vin
de ĉiaj zorgoj,"

채근담 243(후18)

다른 사람들이 명성과 부를 추구해 가고 싶다면
그렇게 하도록 하십시오. 그러한 경향이 세다고 해서
그들을 싫어할 필요는 없습니다. 당신의 마음이 고요
하고 자족하며 명성과 부를 추구하고싶지 않다면, 당
신만 정신이 온전하다고 자랑하지 마십시오. 불교에
서는 이렇게 가르칩니다. "세상 일에 얽매이지 말
고, 헛된 것에 당황하지 마십시오. 그러면 모든 걱정
에서 벗어나게 될 것입니다."

Cai Gen Tan 244(D19)

Ĉu tempo estas longa aŭ mallonga, dependas de subjektiva koncepto. Simile, ĉu spaco estas larĝa aŭ mallarĝa, dependas de mensa percepto. Tial, por persono, kies menso estas en senokupeco, unu sola tago povas esti pli longa ol eterneco, kaj por persono kun larĝa spirita horizonto, malgranda ĉambreto povas esti eĉ pli vasta, ol la universo mem.

채근담 244(후19)

시간이 길거나 짧거나 하는 것은 주관적인 개념에 달려 있습니다. 마찬가지로 공간이 넓은지 좁은지는 정신적 지각에 달려 있습니다. 그러므로 마음이 한가한 사람에게는 하루가 영원보다 길 수 있고, 영적인 지평이 넓은 사람에게는 작은 방이 우주 그것보다 더 넓을 수도 있습니다.

Cai Gen Tan 245(D20)

Malpliigu kaj ree malpliigu la nombron de aferoj farendaj, ĝis ĉio, kio restas, estas nur kultivado de floroj kaj plantado de bambuoj, kaj tiam vi eniros en la regnon de senzorgeco. Forgesu kaj ree forgesu la eksterajn aferojn, ĝis nenio restas por forgesi, kaj ĉio, kion vi memoros, estos nur bruligi incenson antaŭ Budho kaj boligi por vi aroman teon, kaj tiam via vivo eniros en la regnon de absoluta sinforgeso.

채근담 245(후20)

해야 할 일을 줄이고 줄이세요, 꽃 피우고 대나무 심는 것밖에 남지 않을 때까지. 그때에야 걱정없는 나라에 들어가게 됩니다. 외적인 일을 잊어버리고 또 잊으세요, 잊어버릴 것이 남지 않고, 부처님 앞에서 향을 피우고 자신을 위해 향기로운 차를 끓이는 것만 기억하게 될 때까지. 그러면 당신의 삶은 절대 자아망각의 나라에 들어가게 됩니다.

Cai Gen Tan 246(D21)

Persono, kiu estas kontenta pri ĉio, kio aperas antaŭ liaj okuloj, estas kiel tiu, kiu jam eniris en la mondon de la senmortuloj, dum persono, kiu ne estas kontenta pri tio, kio aperas antaŭ liaj okuloj, ne povas sin eltiri el la filistreco de tiu ĉi mondo. Persono, kiu povas resumi la rezultojn de la antaŭdestinitaj interrilatoj kaj lerte utiligi ilin, tenas sian vivoforton en pleneco, dum persono, kiu ne ĝuste utiligas ilin, povas renkonti nur danĝerojn kaj eĉ kaŭzi al si detruon.

채근담 246(후21)

눈앞에 보이는 모든 것에 만족하는 사람은 이미 불멸의 세계에 들어간 사람과 같으나, 눈앞에 보이는 것에 만족하지 못하는 사람은 이 세상의 속물근성에서 벗어날 수 없습니다. 인연의 결과를 요약하고 잘 활용하는 사람은 생명력을 온전히 유지하지만, 제대로 활용하지 못하는 사람은 위험에 직면할 뿐 아니라 자신을 파멸시킬 수도 있습니다.

Cai Gen Tan 247(D22)

Flatado al la potenculoj alportas katastrofon, kiu estas plej rapida kaj plej tragika. La ĝuo de trankvileco kaj paco fare de tiu, kiu estas indiferenta pri famo kaj profito, havas guston plej malfortan, sed plej longedaŭran.

채근담 247(후-22)

권력자에 대한 아부는 가장 빠르고 가장 비극적인 재앙을 가져옵니다. 명예와 이익에 무관심한 사람이 누리는 고요함과 평화는 가장 희미하지만 가장 오래 지속되는 맛을 줍니다.

Cai Gen Tan 248(D23)

Iu homo promenas sola kun bastono tra la ravineto, kiu estas ambaŭflanke borderita de pinoj. Li haltas, kaj la nebulecaj nubetoj el la montofendetoj volve ĉirkaŭas lian ĉifonan robon. Nokte li dormas ĉe bambu-ŝirmita fenestro, kun kapo apogita sur libro. Li vekiĝas, kaj vidas, ke la malvarma lunlumo verŝiĝas sur lian maldikan kotonkovrilon.

채근담 248(후-23)

양쪽이 소나무로 둘러싸인 계곡 사이로 한 남자가 막대기를 들고 홀로 걸어갑니다. 멈춰서자 산의 갈라진 틈에서 나온 안개처럼 낀 작은 구름이 너덜너덜한 누더기 주위로 소용돌이칩니다. 밤에는 대나무로 가린 창문 옆에서 책에 머리를 기대고 잠을 잡니

다. 잠에서 깨어나 얇은 면 담요 위에 차가운 달빛
이 쏟아지고 있는 것을 봅니다.

Cai Gen Tan 249(D24)

Volupto arda estas malfacile elportata
kiel flamo. Sed kiam oni ekpensas, ke
drono en voluptaj plezuroj povus kaŭzi
malsanon kaj suferojn, la voluptofajro
povas tuj turniĝi en malvarman cindron.
Famo kaj riĉeco estas logaj kiel bongustaj
dolĉaĵoj. Sed kiam oni ekpensas, ke ĉasado
de famo kaj riĉeco povas rezultigi morton,
tiam ili tuj fariĝas kiel sengustaĵoj. Tial, se
vi konstante portas en la menso suferojn
kaj morton, vi elradikigos el via koro la
voluptemon kaj la avidon je famo kaj
riĉeco, kaj plifortigos vian deziron pri
iluminiĝo.

채근담 249(후24)

뜨거운 음욕은 불꽃처럼 견디기 힘듭니다. 그러나
음란한 쾌락에 빠지면 질병과 고통을 초래할 수 있
다고 생각하기 시작하면, 음욕의 불은 즉시 차가운
재로 변할 수 있습니다. 명예와 부는 맛있는 과자처

럼 매혹적입니다. 그러나 명예와 부를 추구하다 보면 죽음에 이를 수도 있다고 생각하기 시작하면 즉시 무미건조해집니다. 그러므로 끊임없이 괴로움과 죽음을 마음에 품으면 마음의 음욕과 명예욕과 부귀욕을 근절하고 깨달음에 대한 열망이 더욱 강하게 될 것입니다.

Cai Gen Tan 250(D25)

Kiam ĉiuj konkure rapidas antaŭen sur vojo, la vojo ŝajnas mallarĝa. Sed se, en tia okazo, vi faras paŝon malantaŭen, vi tuj trovos, ke la vojo fariĝis multe pli larĝa. Kiam nutraĵo estas tro spicita, ĝia gusto donas stimulon nur momentan. Sed se ĝi estas modere spicita, ĝi povas postlasi guston aparte agrablan kaj longedaŭran.

채근담 250(후25)

모두 경쟁적으로 길을 달려갈 때, 길은 좁아 보입니다. 그러나 그런 경우에 한발 물러서면 길이 훨씬 넓어진 것을 즉시 알게 됩니다. 음식에 양념을 너무 많이 가하면 그 맛은 순간적으로 자극을 줄 뿐입니다. 하지만 적당히 매운 맛을 낸다면 특히 기분 좋고 오래 지속되는 뒷맛을 남길 수 있습니다.

Cai Gen Tan 251(D26)

Se vi deziras teni vian menson serena en multeokupiteco kaj konfuzo, vi devas kulturi vian spiriton al kvieteco en la tempo de senokupeco. Se vi volas esti trankvila kaj sentima vizaĝe al la morto, vi devas ĝisfunde kapti la esencon de mondaj aferoj, kaj klare scii, ke tie, kie estas vivo, estas ankaŭ morto.

채근담 251(후26)

분주하고 혼란스러운 가운데 마음을 맑게 하고 싶다면 한가할 때 정신을 고요하게 닦아야 합니다. 죽음 앞에서도 평안하고 두려움을 갖지 않으려면 세상사의 본질을 끝까지 파악하고, 생명이 있는 곳에 죽음도 있다는 것을 분명히 알아야만 합니다.

Cai Gen Tan 252(D27)

Inter ermitoj estas nek honoro, nek malhonoro; sur la vojo al la Taŭo ne estas necese favori iujn kaj malfavori aliajn.

채근담 252(후27)

은둔자 중에는 명예도 불명예도 없습니다. 도(道)로 가는 길에서 어떤 사람을 좋아하고 다른 사람을 싫어할 필요는 없습니다.

Cai Gen Tan 253(D28)

Ne estas necese fari penojn por senigi vin je turmenta varmego. Ĉio, kion vi devas fari, estas elpeli ĉagrenajn pensojn pri varmego el via menso, kaj tiuokaze vi ĉiam havos tian senton, kvazaŭ vi estas sur friskiga teraso. Ne estas necese fari penojn por senigi vin je malriĉeco. Ĉio, kion vi devas fari, estas elpeli afliktajn pensojn pri malriĉeco el via menso, kaj tiuokaze, eĉ se vi loĝos en kaduka dometo, vi ĉiam havos tian senton, kvazaŭ vi vivas en komforta nesto.

채근담 253(후28)

고통스러운 더위를 없애려고 애쓸 필요는 없습니다. 당신이 해야 할 모든 일은 더위에 대한 귀찮은 생각을 마음에서 쫓아내는 것뿐입니다. 그러면 항상 상쾌한 테라스에 있다는 느낌을 갖게 될 것입니다. 가난을 없애려고 애쓸 필요는 없습니다. 당신이 해야 할 모든 일은 가난에 대한 괴로운 생각을 마음에서 몰아내는 것뿐입니다. 그러면, 누추하고 작은 집에 살아도 항상 편안한 보금자리에 살고 있다는 느낌을 갖게 될 것입니다.

Cai Gen Tan 254(D29)

Kiam vi faras paŝojn antaŭen en viaj entreprenoj, tenu en la menso la fakton, ke iam en la estonteco la aferoj povos iri ne tiel glate, kaj vi devas elpensi vojon de retroiro. Tio eble estas por vi la nura rimedo por eviti fali en la situacion, en kiu vi trovus malfacila antaŭeniri aŭ retroiri. Kiam vi komencas plenumi taskon, plej bone estas elpensi unue bonan manieron por ĝin fini. Tio eble estas por vi la sola rimedo por eviti la danĝeran situacion de "rajdo sur tigro".

　＊ "rajdo sur tigro" : esprimo signifanta "estas malfacile desalti de ĝi", t.e. ne povi eltiri sin el malfacila situacio.

채근담 254(후29)

　사업에서 앞으로 나아갈 때, 미래의 언젠가는 일이 그렇게 순조롭게 진행되지 않을 수도 있고, 돌아갈 길을 찾아야 한다는 사실을 명심하십시오. 이것이 아마 앞으로 나아가거나 뒤로 돌아가기 어려운 상황에 빠지는 것을 피할 수 있는 유일한 수단일 수 있습니다. 일을 수행하기 시작하면 먼저 일을 끝내는 좋은 방법을 생각하는 것이 가장 좋습니다. 그것이 아마 '호랑이 타기'라는 위험한 상황을 피할 수 있는 유일한 수단일 수 있습니다.

　* '호랑이를 탄다' : '뛰어내리기 어렵다'는 뜻의 표현. 어려운 상황에서 헤어나지 못하는 것.

Cai Gen Tan 255(D30)

　Eĉ se avidulo ricevis oron, li havas fortan malkontentecon pro tio, ke oni ne donis al li jadon. Eĉ se li estas levita al markizeco, li havas fortan malkontentecon pro tio, ke oni ne donis al li la titolon de duko. Tia homo, malgraŭ sia riĉeco aŭ altrangeco, havas la mensostaton de almozuloj kaj estas neniam kontentigita. Aliflanke, homo kontenta pri sia sorto nutras sin per simpla nutraĵo kaj trovas ĝin pli bongusta, ol la plej rafinitaj pladoj, kaj vestojn el kruda teksaĵo pli varmaj, ol roboj el pelto de vulpo aŭ ermeno. Malgraŭ sia malalta pozicio li estas pli feliĉa, ol princoj kaj dukoj.

채근담 255(후30)

욕심이 많은 사람은 금을 받았어도 옥을 받지 못하기 때문에 불만이 강합니다. 후작까지 올랐음에도 공작 작위를 받지 못해 원망이 강합니다. 그런 사람은 부나 높은 지위에도 거지의 마음 상태를 갖고 있으며 결코 만족하지 않습니다. 반면에 자신의 운명에 만족하는 남자는 단순한 음식을 먹으며 그것이 가장 세련된 요리보다 더 맛있다고 생각하고, 거친 천으로 만든 옷을 여우나 담비 모피로 만든 드레스보다 더 따뜻하다고 생각합니다. 낮은 지위에도 왕자나 공작보다 더 행복합니다.

Cai Gen Tan 256(D31)

Pli bone estas kaŝi sian famon, ol vaste brui pri ĝi. Pli bone estas klopodi malmulte kaj ĝui senzorgecon, ol peni fari sin mondosperta.

채근담 256(후31)

명예에 관해 소리를 크게 내는 것보다 숨기는 것이 낫습니다. 자신을 세속적인 사람으로 만들려고 노력하는 것보다 애쓰기를 조금하고 평안함을 즐기는 것이 낫습니다.

Cai Gen Tan 257(D32)

Tiu, kiu inklinas al kvieteco kaj senagado, povas penetri la misteron de la Taŭo per fiksa rigardo al la nuboj sur la ĉielo kaj al la rokoj kaŝitaj en la ravinoj. Tiu, kiu ĉasas honorojn, trovas mildigon de sia laceco en dolĉaj kantoj kaj graciaj dancoj de virinoj. Nur tiuj, kiuj konservas sian propran naturon, povas liberigi sian koron de la brua ĉasado de honoroj kaj riĉaĵoj. Serĉante rifuĝon en la montoj kaj arbaroj li evitas kiel la prosperon kaj malprosperon de la homa mondo, tiel ankaŭ la fluktuan ŝanĝiĝadon de la homa sorto. Kien ajn li iras, li trovos la mondon nature agrabla por li.

채근담 257(후32)

고요하고 활동하지 않는 경향이 있는 사람은 하늘의 구름과 계곡에 숨겨진 바위를 응시함으로써 도(道)의 신비를 꿰뚫을 수 있습니다. 명예를 추구하는 사람은 여인들의 감미로운 노래와 우아한 춤으로 피로를 풀어줍니다. 자신의 본성을 지키는 사람만이 명예와 부를 추구하는 소란스러운 마음에서 벗어날 수 있습니다. 산과 숲에서 피난처를 찾고 인간 세상의 번영과 불행을 피하듯, 인간 운명의 변동하는 변화도 피합니다. 어디를 가든 세상이 자연스럽게 자신에게 좋음을 알게 될 것입니다.

Cai Gen Tan 258(D33)

Kiam soleca nubeto alte flosas inter montopintoj, al ĝi estas indiferente, ĉu ŝvebi aŭ fordrivi. La sereneco de la hela luno, kiu pendas en la nokta ĉielo, havas nenian rilaton kun la homa mondo, ĉu brua aŭ kvieta.

채근담 258(후33)

외로운 작은 구름이 산봉우리 사이에 높이 떠오를 때, 솟아오르건 멀리흘러가건 상관없습니다. 밤하늘에 떠 있는 고요하고 밝은 달은 시끄럽든 조용하든 인간 세상과는 아무 상관이 없습니다.

Cai Gen Tan 259(D34)

Gusto agrabla kaj longedaŭra estas trovebla ne en luksaj kaj rafinitaj pladoj, sed en simplaj nutraĵoj kaj trinkaĵoj. Tristo estas produkto ne de vivo soleca kaj mizera, sed de gaja amuzado. Tial oni devas scii, ke sensaj ĝuoj estas efemeraj, kaj ke vera ĝuo troviĝas nur en kvieta vivo kaj simplaj gustoj.

채근담 259(후34)

상쾌하고 오래 지속되는 맛은 화려하고 세련된 요리가 아닌, 단순한 음식과 음료에서 찾을 수 있습니다. 슬픔은 외롭고 비참한 삶의 산물이 아니라 즐거운 오락의 산물입니다. 그러므로 감각적 즐거움은 일시적이며 진정한 즐거움은 조용한 삶과 단순한 취향에만 있음을 알아야 합니다.

Cai Gen Tan 260(D35)

La budhisma skolo de zeno instruas:

"Kiam vi malsatas, manĝu; kiam vi lacas, dormu." La sekreto de versfarado estas: "Vidu la vidaĵon antaŭ viaj okuloj kaj esprimu ĝin en preferataj kutimaj esprimoj." La plej alta kaj plej profunda vero havas sian originon en la plej simpla banaleco, kaj la plej malfacila tasko devenas de la plej facila. Tiu, kiu decidas plenumi ion, estas malproksima de la plenumo, dum tiu, kiu havas nenian intencon ĝin plenumi, nature proksimiĝas al la finplenumo.

채근담 260 (후35)

불교의 선종(禪宗)에서는 "배고프면 먹고 피곤하면 자라" 고 가르칩니다. 시 짓기의 비밀은 "눈 앞에 있는 광경을 보고 그것을 좋아하는 익숙한 표현으로 표현하는 것" 입니다. 가장 높고 깊은 진리는 가장 단순한 사소함에서 시작되고, 가장 어려운 일은 쉬운 것에서 비롯됩니다. 무엇인가를 이루겠다고 결심한 사람은 성취와는 거리가 멀고, 성취할 의도가 없는 사람이 자연스럽게 최종 성취에 가까워집니다.

Cai Gen Tan 261(D36)

Tiu, kiu vivas sur la bordo de rivero, ne aŭdas la bruon de akvo, kiu fluas preter li. El tio ni povas kompreni la profundan veron, ke estas eble atingi pacon kaj kvietecon eĉ en tumulta medio. Kiel ajn altaj estas la montoj, ili ne povas bari la flugadon de la nuboj. El tio ni povas kompreni la subtilan misteron pri la eliĝo el ekzistaĵeco kaj la eniĝo en neniecon.

채근담 261(후36)

강둑 위에 사는 사람은 자기 옆으로 흐르는 시끄러운 물소리를 듣지 못합니다. 이것으로부터 우리는 소란스러운 환경에서도 아마 평화와 고요함을 이룬다는 깊은 진리를 이해할 수 있습니다. 산이 아무리 높아도 구름이 흘러가는 것을 막을 수는 없습니다. 이것으로부터 우리는 존재로부터의 출현과 무(無)로의 진입이라는 미묘한 신비를 이해할 수 있습니다.

Cai Gen Tan 262(D37)

Montoj kaj arbaroj estas lokoj de belaj pejzaĝoj, sed tuj kiam ili fariĝas objektoj de plezurĝuo de homoj, ili turniĝas en foirejojn. Libroj kaj pentraĵoj estas elegantaĵoj, sed tuj kiam ili fariĝas objektoj de avideco de homoj, ili turniĝas en nurajn komercaĵojn. Se nur la koro ne estas malpurigita per aspiroj al famo kaj riĉeco, tiam, eĉ vivante en la banala mondo plenplena de materialaj deziroj, oni vivas kvazaŭ en Paradizo. Sed se oni lasas sian koron forlogita de tentoj de famo kaj riĉeco, tiam eĉ Paradizo fariĝas vera maro de suferoj.

채근담 262(후37)

산과 숲은 경치가 아름다운 곳이지만, 사람들의 즐거움의 대상이 되는 순간 장터로 변합니다. 책과 그림은 고상한 것이지만 인간의 욕심의 대상이 되는 순간 단순한 상품으로 변합니다. 명예와 부에 대한 열망으로 마음이 더럽혀지지 않으면 물질적 욕망으로 가득 찬 속세에 살더라도 마치 천국에 있는 것처럼 삽니다. 그러나 명예와 부의 유혹에 마음이 빠지면 천국조차도 고통의 바다가 됩니다.

Cai Gen Tan 263(D38)

Kiam vi trovas vin en medio brua kaj konfuza, la aferoj, pri kiuj vi klare pensas en tempo de trankvileco, estas tute forgesitaj. Kiam vi estas en stato de paco, la aferoj, kiuj forglitis el via menso en la pasinteco, tuj vivece reaperas kvazaŭ antaŭ viaj okuloj. El tio oni povas vidi: se ekaperas nur ioma diferenco inter kvieteco kaj malkvieteco, tiam tuj estiĝas malsameco inter menskonfuzo kaj menslumiĝo.

채근담 263(후38)

시끄럽고 혼란스러운 환경에 처하게 되면, 평온할 때 명확하게 생각했던 것들이 완전히 잊혀지게 됩니다. 평화로운 상태에 있을 때, 과거에 마음에서 빠져나갔던 것들이 마치 눈앞에 있는 것처럼 생생하게 즉시 다시 나타납니다. 이것으로부터 알 수 있습니다: 편안함과 불안함 사이에 약간의 차이만 나타난다면 정신적 혼란과 정신적 깨달음 사이에 즉시 차이가 나타납니다.

Cai Gen Tan 264(D39)

Kun mato el fragmitaj florkvastoj kiel litkovrilo, dormu sub flosantaj nuboj aŭ en falanta neĝo, kaj vi konservos la purecon de via koro. Kun taso da vino hejme farita drinku kaj recitu versaĵojn pri la ventoj kaj luno, kaj vi trovos vin for de la vanteca mondo kaj ĝia brueco.

채근담 264(후39)

꽃술 매트를 담요로 삼고 떠다니는 구름이나 내리는 눈 밑에서 주무세요. 마음의 순수함을 지킬 수 있습니다. 집에서 만든 포도주를 한 잔 마시고 바람과 달의 시를 읊어보세요. 헛된 세상과 소음에서 벗어나게 될 것입니다.

Cai Gen Tan 265(D40)

Se monta ermito kun sia kruda promenbastono estus allasata enviciĝi inter regnaj oficistoj en luksaj ornamaĵoj, tio certe levus la rafinitan tonon de la oficistaro. Se regna oficisto vestita en sia majesta robo aligus al grupo da fiŝistoj aŭ arbohakistoj sur la vojo, tio nur farus la kompanion eĉ pli kruda. Tial el tio ni povas vidi: riĉeco kaj parado per riĉaĵoj ne estas tiel bonaj kiel simpleco kaj senlukseco, kaj vulgareco neniel povas esti komparata kun rafiniteco.

채근담 265(후40)

초라한 지팡이를 든 산속의 은자가 화려한 장신구를 단 나라의 신하들 사이에 줄을 서게 된다면 관료들의 기품이 고조될 것이 분명합니다. 위엄 있는 예복을 입은 나라의 신하가 길에서 어부나 나무꾼의 무리와 합류하면 일행은 더욱 초라해질 뿐입니다. 그러므로 이것으로부터 우리는 알 수 있습니다. 부귀와 화려한 퍼레이드는 단순함과 소박함만큼 좋지 않으며 저속함은 결코 세련미와 비교할 수 없습니다.

Cai Gen Tan 266(D41)

La maniero transcendi tiun ĉi banalan mondon estas hardi sin vojaĝante vaste en ĝi, sekve ne estas necese detranĉi sin de la interrilatoj kun ordinaruloj. La maniero ĝisfunde kompreni la povojn de la menso estas senbridigi ĝiajn kapablojn ĝis maksimumo, sekve ne estas necese turni la menson en mortan cindron per evito de ĉiaj mondaj pensoj.

채근담 266(후41)

이 진부한 세상을 초월하는 길은 그 속을 널리 여행하며 자신을 굳건히 하는 것이므로 세상사람들과의 관계를 단절할 필요는 없습니다. 마음의 힘을 철저히 이해하는 방법은 그 능력을 최대한 발휘하는 것이므로 모든 세상적인 생각을 피하여 마음을 죽은 재로 만들 필요는 없습니다.

Cai Gen Tan 267(D42)

Se mia korpo ĉiam estas en serena senzorgeco, tiam povas min influi neniaj konsideroj pri honoro kaj malhonoro, nek pri gajno kaj perdo. Se mia menso estas en konstanta kvieteco, tiam povas min konfuzi neniaj konsideroj pri pravo kaj malpravo, nek pri profito kaj malprofito.

채근담 267(후42)

내 몸이 항상 평안하고 걱정이 없으면 명예와 불

명예, 이득과 손실을 고려하는 것이 나에게 영향을 미칠 수 없습니다. 내 마음이 항상 고요하면 옳고 그름, 이익과 손해를 따져봐도 나를 혼란스럽게 할 수 없습니다.

Cai Gen Tan 268(D43)

Restante ĉe la bambua plekotbarilo, mi subite aŭdas la bojojn de hundoj kaj la klukojn de koko, kaj tiam mi eksentas, ke mi estas kvazaŭ en la mondo inter la nuboj. De ekstere tra mia fenestro venas la ĉirpado de cikadoj kaj la grakado de korvoj, kaj tiam mi ekkonscias, ke en silento estas alia mondo.

채근담 268(후43)

대나무 울타리 옆에 서서 문득 개 짖는 소리, 닭 울음소리를 듣고, 마치 구름 사이 세상에 있는 듯한 느낌입니다. 창밖에는 매미 울음소리, 까마귀 울음소리가 들려오고, 침묵 속에 또 다른 세계가 있음을 깨닫습니다.

Cai Gen Tan 269(D44)

Se mi ne serĉas famon kaj riĉecon, kiel do mi povus esti logata de profito kaj aliaj similaj aferoj? Se mi ne konkuras kun aliaj por okupi altan pozicion, kiel do mi povus esti minacata de intrigoj en la regnoficistaj rondoj?

채근담 269(후44)

내가 명예와 부를 구하지 않는다면 어떻게 이익과 다른 것들의 유혹에 빠질 수 있겠습니까? 내가 높은 자리를 차지하기 위해 다른 사람들과 경쟁하지 않는다면, 어떻게 나라 공직자들의 음모로 위협을 받을 수 있겠습니까?

Cai Gen Tan 270(D45)

Vagante inter montoj, arbaroj, fontoj kaj rokoj, oni trovas sian avidon je famo kaj riĉeco iom post iom malfortiĝanta. Legante poeziaĵojn aŭ aprezante pentraĵojn, oni ĝuas rafinitecon, kaj la vulgareco malaperas nerimarkate. Sekve la noblulo, eĉ sen droni en plezuroj kaj perdi siajn altajn aspirojn, povas ofte trovi ion, per kio li povas kulturi kiel sian korpon, tiel ankaŭ sian menson.

채근담 270(후45)

산과 숲, 샘과 바위 사이를 헤매다 보면 명예와 부에 대한 욕망이 조금씩 약해집니다. 시를 읽거나 그림을 감상하면서 고상함을 누리고 천박함은 어느새 사라집니다. 그러므로 선비는 쾌락에 빠지거나 높은 열망을 잃지 않고도 몸뿐만 아니라 마음도 닦을 수 있는 무언가를 늘 찾을 수 있습니다.

Cai Gen Tan 271(D46)

En printempo la grandioza pitoreska pejzaĝo ravas la homan koron. Sed la printempo ne povas esti komparata kun la aŭtuno - sezono kun blankaj nuboj kaj malvarmeta zefiro, aromo de orkideoj kaj *osmantoj, kaj akvo kaj ĉielo, kiuj kunfandiĝas en unu solan koloron. En al aŭtuno la spaco inter la firmamento kaj la tero estas aparte vasta kaj brila, alportante al la homaj korpo kaj spirito senkomparan freŝecon.

*osmanto: aroma planto (Osmanthus fragrans Lour)

채근담 271(후46)

봄에는 웅장하고 그림같은 풍경이 사람의 마음을 즐겁게 합니다. 그러나 봄은, 흰 구름과 서늘한 미풍, 난초와 계수나무의 향기, 물과 하늘이 하나의 색으로 합쳐지는 계절인 가을과 비교할 수 없습니다. 가을에는 창공과 땅 사이의 공간이 유난히 넓고 밝아 인간의 몸과 정신에 비교할 수 없는 싱그러움을 선사합니다.

Cai Gen Tan 272(D47)

Tiu, kiu ne scias legi eĉ unu literon kaj tamen diras vortojn plenajn de poezieco, havas internan genion de vera poeto. Tiu, kiu lernis nenian budhisman ĉanton kaj tamen diras vortojn plenajn de budhisma saĝeco, jam penetris la profundajn misterojn de budhismo.

채근담 272(후47)

한 글자도 읽을 줄 모르면서도 시의 정취가 가득

한 말을 하는 사람은 참된 시인의 내면적 천재성을
가졌습니다. 아무런 법문을 배우지 않았으면서도 불
교의 지혜가 가득한 말을 하는 사람은 이미 불교의
깊은 신비를 꿰뚫었습니다.

Cai Gen Tan 273(D48)

Persono kun malica kaj vigla imago
povas vidi ĉie fantomojn kaj spiritojn; li
prenas por serpento la en-vintasan
reflekton de pafarko pendanta sur la
muro, kaj por kaŭranta tigro la rokon
duonkaŝitan en la vepro. Ĉio, kion li
rigardas, havas por li sinistrecon.
Aliflanke, persono kun trankvila spirito kaj
serena humoro sendas rigardon al roko
kaj vidas mevon, kie aliaj tamen vidas
tigron. La raŭka kvakado de ranoj estas
por li kiel dolĉa muziko, kaj ĉio, kun kio li
venas en kontakton, alprenas bonaŭguran
aspekton.

채근담 273(후48)

악의적이고 생생한 상상력을 가진 사람은 어디에
서나 유령과 영혼을 볼 수 있습니다. 술잔에 비친 벽

에 걸린 활의 모습을 뱀으로 여기고, 덤불 속에 반쯤 감춰진 바위를 웅크리고 있는 호랑이로 여깁니다. 보는 모든 것이 불길한 느낌을 줍니다. 반면에 마음이 차분하고 평온한 사람은 바위를 보면 다른 사람이 호랑이로 볼지라도 갈매기를 봅니다. 목쉰 개구리의 울음소리는 감미로운 음악과 같으며, 만나는 모든 것에 기분좋은 면을 취합니다.

Cai Gen Tan 274(D49)

La korpo estas kiel neligita boato; ĝi drivas laŭ la fluo, ĝis ĝi puŝiĝas kontraŭ io baranta, kaj haltas. La koro jam estas kiel forbrulinta arbostumpo; do estas tute egale, ĉu ĝi estas hakata aŭ ŝmirita per bonodoraĵo!

채근담 274(후49)

몸은 정박되지 않은 배와 같아, 막는 무언가에 부딪혀 멈출 때까지 물결 따라 떠다닙니다. 마음은 이미 타버린 나무 그루터기와 같아, 쪼개지든 좋은 향으로 꾸미든 전혀 똑같습니다.

Cai Gen Tan 275(D50)

Estas nature kaj normale, ke oni trovas agrabla la triladon de la oriolo kaj enuiga la kvakadon de rano. Estas nature kaj normale ankaŭ, ke rigardante florojn oni intencas ilin kulturi kaj vidante herbaĉojn oni volas ilin elradikigi. Tiuj ĉi reagoj estas nenio alia ol manifestiĝoj de personaj ŝatoj kaj malŝatoj. Se ni ekzamenas la bazan esencon de aferoj, ni konstatas, ke la oriolo kaj la rano same eligas kriojn instigate de siaj denaskaj naturoj, kaj ke la floroj kaj la herbaĉoj prosperas sub la diktado de siaj vivofortoj.

채근담 275(후50)

꾀꼬리의 노래가 즐겁고 개구리의 울음소리가 지루하다는 것은 자연스럽고 정상적인 일입니다. 꽃을 보면 가꾸고 싶고, 잡초를 보면 뽑아버리고 싶은 것도 당연하고 정상적인 일입니다. 이러한 반응은 개인적인 호불호의 표현일 뿐입니다. 사물의 기본 본질을 살펴보면 꾀꼬리와 개구리도 모두 본성으로 울부짖고, 꽃과 풀은 생명력에 따라 잘 자람을 확인합니다.

Cai Gen Tan 276(D51)

Kun la paso de la jaroj defalas niaj kapharoj kaj dentoj, kaj velkiĝas nia karno. El la kantoj de la birdoj kaj la florado de la floroj ni povas ekkompreni la eternan esencon de nia propra naturo.

채근담 276(후51)

세월이 흐르면서 우리의 머리카락과 이는 빠지고 육체는 시들게 됩니다. 새들의 노래와 꽃의 개화에서 우리는 우리 본성의 영원한 본질을 이해하기 시작할 수 있습니다.

Cai Gen Tan 277(D52)

Koro plena de materialaj deziroj povus estigi malkvietajn ondojn sur frostiĝinta lageto, kaj persono kun tia koro trovus nenian trankvilon eĉ en la profundo de la montoj kaj arbaroj. Dume persono, kies koro entenas neniajn malkvietajn pensojn, trovus malvarmetaj eĉ la plej varmajn tagojn, kaj ne perceptus la konfuzajn bruojn eĉ en bazaro homplena.

채근담 277(후52)

물질적 욕망이 가득한 마음은 얼어붙은 연못에도 큰 파도를 일으킬 수 있고, 그런 마음을 가진 사람은 깊은 산과 숲 속에서도 평안을 찾을 수 없습니다. 한편, 마음에 어떤 시끄러운 생각이 없는 사람은 가장 더운 날에도 시원함을 느끼고, 혼잡한 시장에서도 혼란스러운 소음을 인식하지 못할 것입니다.

Cai Gen Tan 278(D53)

Kiam homo akumulas grandan kvanton da riĉaĵoj, estas al li facile kaŭzi al si pereon. El tio ni povas scii, ke riĉulo havas pli da zorgoj ol malriĉulo. Kiam homo tro rapide supreniĝas al alta pozicio, estas al li malfacile eviti renversiĝon. El tio ni povas scii, ke altrangulo ne estas tiel trankvila, kiel ordinarulo.

채근담 278(후53)

사람이 많은 부를 축적하면 스스로 파멸을 일으키기 쉽습니다. 이를 통해 우리는 부자가 가난한 사람보다 걱정이 더 많다는 것을 알 수 있습니다. 사람이 너무 빨리 높은 자리에 오르면 넘어짐을 피하기가

어렵습니다. 이를 통해 우리는 고위직에 있는 사람이
보통 사람처럼 그리 편안하지 않다는 것을 알 수 있
습니다.

Cai Gen Tan 279(D54)

Legante la "Libron de Ŝanĝiĝoj" ĉe
malfermita fenestro en la frua mateno, uzu
cinabran inkon miksitan kun la rosgutoj
de sur pinaj branĉoj por substreki vortojn
de aparta saĝeco. Tagmeze sidante ĉe
skribotablo kaj eksplikante budhisman
sutron, frapu la jadajn *ĉing-ojn kaj lasu
ilian tintadon portata de la vento tra la
bambuaro malproksimen.

*ĉing-ojn: antikva jada aŭ ŝtona
ortiloforma frapinstrumento aŭ budhista
kupra kloŝoforma frapinstrumento.

채근담 279(후54)

이른 아침 열린 창가에서 '주역'을 읽으며 소나무
가지에 어린 이슬을 섞어 만든 진사 먹으로 특별한
지혜의 말씀에 밑줄을 그으세요. 정오에 책상에 앉아
불경을 강의하면서 옥경을 쳐서 그 소리를 바람에

실어 대나무 숲 멀리까지 보내세요.

Cai Gen Tan 280(D55)

Kiam floro estas plantita en poto, ĝi povas kreski abunde, sed malgraŭe ĝi ne havas la viglan vivecon de natura kreskado. Kiam birdo estas loĝigita en kaĝo, ĝi povas kanti kiel antaŭe, sed ĝia natura gajeco estas malpliigita. Ili ne estas plu kiel la floroj kaj la birdoj, kiuj libere intermiksiĝas sur la montoj kaj formas tiun naturan bildon, kiu tre plezurigas la homan koron. Estas ja la nature kreskanta floro kaj la libere fluganta sovaĝa birdo, kiuj ebligas al la homo kompreni la ĉarmon de la naturo.

채근담 280(후55)

꽃은 화분에 심으면 무성하게 자랄 수는 있지만, 그럼에도 자연 성장의 생기 넘치는 생명력은 없습니다. 새가 새장에 있으면 예전처럼 노래할 수는 있지만 자연스러운 쾌활함은 감소합니다. 그들은 더 이상, 산 위에 자유롭게 어울리며 인간의 마음에 큰 기쁨을 주는 자연의 그림을 형성하는, 꽃이나 새가 아넙니다. 사람에게 자연의 매력을 깨닫게 해주는 것은 바로 자연 속에서 자라는 꽃과 자유롭게 날아다니는 새입니다.

Cai Gen Tan 281(D56)

La ordinaraj homoj tro zorgas pri si mem, tial ili havas ekscesajn emojn kaj multajn zorgojn. Antikva onidiro diras: "Se vi ne plu konscios vian propran ekziston, kiel do vi povos koni la valoron de la objektoj aliaj ol vi?"

Ankoraŭ alia diras: "Se vi ekscios, ke via karna korpo ne estas via efektiva memo, kiel do zorgoj kaj afliktoj povos eniĝi en vian menson?" Kiaj trafaj diroj!

채근담 281(후56)

보통 사람들은 자기 자신에 대해 너무 신경을 많이 쓰기 때문에 지나친 좋아함과 걱정거리가 많습니다. 옛 속담에 이런 말이 있습니다. "당신이 더 이상 자신의 존재를 인식하지 못한다면, 자신이 아닌 다른 사물의 가치를 어떻게 알 수 있겠습니까?"

또 다른 사람은 이렇게 말합니다. "너희 육신이 참 자아가 아닌 줄 알면 어찌 염려와 괴로움이 너희 마음에 들어오겠느냐?" 참으로 적절한 말입니다!

Cai Gen Tan 282(D57)

Kiam vi renkontas personon, kiu estas en sia kaduka maljuna aĝo, pensu do pri tio, ke li probable pasigis sian junecon en la freneza ĉasado de famo kaj riĉeco. Tiam vi nature senigos vin je viaj ambicioj kaj konkuremo. Kiam vi renkontas homon, kies kariero estas ruinigita aŭ kies familio estas mizera, pensu do pri tio, ke li iam estis riĉega kaj rikoltis sukcesojn. Tio helpos al vi forĵeti ĉiajn revojn pri riĉeco kaj lukso.

채근담 282(후57)

초라하게 늙은 사람을 만날 때, 그 사람이 아마도 명성과 부를 추구하며 미친 듯이 젊은 시절을 보냈다는 사실을 생각해 보십시오. 그러면 당신은 자연스럽게 야망과 경쟁심을 잃게 될 것입니다. 직장이 망가졌거나 가족이 힘든 사람을 만날 때, 그 사람이 한때 큰 부자였고 성공을 거두었다는 사실을 생각해 보십시오. 이것은 부와 사치에 대한 꿈을 모두 버리는 데 도움이 될 것입니다.

Cai Gen Tan 283(D58)

La sentoj kaj manieroj de homoj kontraŭ homoj povas ŝanĝiĝi en palpebruma daŭro, tial oni ne devas preni ilin tro serioze. *Yaofu iam asertis: "Tio, kio iam estis nomata 'mi', nun fariĝas "li": kaj mi scivolas, kiu do la hodiaŭa 'mi' poste povos fariĝi." Se homo ofte farus tian konsideron, li povus dispeli ĉiajn zorgojn el sia brusto.

*Yaofu: t.e. Shao Rong (Yaofu estis lia adoltiĝa nomo), filozofo dum la Norda Song-dinastio (960-1127). Li estis fakulo en la studado de "La Libro de Ŝanĝiĝoj", sed li neniam sukcesis fariĝi regna oficisto dum sia vivo.

채근담 283(후58)

사람을 대하는 사람의 감정이나 방식은 눈 깜짝할 사이에 변할 수 있으므로 너무 심각하게 받아들여서는 안 됩니다. *야오푸는 "한때 '나'라고 불렸던 것이 이제는 '그'가 되어가고 있는데, 오늘의 '나'는 결국 누가 될지 궁금하다" 고 주장한 적이 있습니다.

사람이 이런 생각을 자주 한다면 가슴속의 모든 걱정을 없앨 수 있을 것입니다.

*야오푸: 즉 샤오 룽(야오푸는 어른된 뒤의 이름)은 북송(960~1127) 시대의 철학자이며 『주역』 연구의 전문가였지만, 평생 동안 나라의 관리가 되지는 못했습니다.

Cai Gen Tan 284(D59)

Se vi povas rigardi per sobraj okuloj ĉiujn aferojn en tiu ĉi tumulta klopodema mondo, vi povos forpeli de vi la ĉagrenajn pensojn, kiuj vin turmentas. Se vi povas konservi ian varmecon en via koro kontraŭ la mondo, kiu ŝajnas malvarma kaj dezerta, vi povos trovi multajn fontojn de ĝojo.

채근담 284(후59)

이 소란스럽고 애쓰는 세상의 모든 것을 온전한 눈으로 바라볼 수 있다면, 괴롭히는 성가신 생각을 자신에게서 몰아낼 수 있을 것입니다. 차갑고 황폐해 보이는 세상에 맞서 마음속에 어떤 온기를 간직할 수 있다면 많은 기쁨의 샘을 얻을 수 있을 것입니다.

Cai Gen Tan 285(D60)

Kie estas feliĉo, tie devas esti ankaŭ ĝia malo - malfeliĉo. Kie estas bela vidaĵo, tie devas esti ankaŭ vidaĵo malagrabla. Tial, ne estas nepre necese strebi al feliĉo kaj belaj aferoj; manĝante nur kutimajn simplajn nutraĵojn kaj estante kontenta pri via sorto, vi trovos vin en paradizo.

채근담 285(후60)

행복이 있는 곳에는 그 반대인 불행도 반드시 존재합니다. 아름다운 광경이 있으면 불쾌한 광경도 반드시 있기 마련입니다. 그러므로 행복과 아름다움을 위해 노력하는 것이 꼭 필요하지는 않습니다. 평범한 간단한 음식만 먹고 자신의 운명에 만족하면 천국에 있을 것입니다.

Cai Gen Tan 286(D61)

Levu fenestran kurtenon kaj rigardu la verdajn montojn kaj klarajn riveretojn, kiuj estas envolvitaj en ŝvebantaj nuboj, kaj vi perceptos, kiel libera kaj senĝena estas la Naturo. Kontemplu la freŝe verdajn bambuojn kaj la prosperajn arbojn kaj primeditu, kiel la hirundoj kaj turtoj heroldas la ŝanĝiĝojn de la sezonoj, kaj vi sentos, ke vi kaj la mondo estas unu harmonia tuto.

채근담 286(후61)

창 커튼을 걷어 올리고 떠다니는 구름에 둘러싸인 푸른 산과 맑은 시냇물을 바라보세요. 자연이 얼마나 자유롭고 평온한지 깨닫게 됩니다. 신선하게 푸른 대나무와 무성한 나무들을 바라보세요. 제비와 거북이가 계절의 변화를 어떻게 알리는지 묵상해 보세요. 그러면 당신과 세상이 하나의 조화로운 전체임을 느끼게 됩니다.

Cai Gen Tan 287(D62)

Se persono ekkomprenas, ke post sukceso certe sekvas malsukceso, tiam li ne estos tiel avida je sukceso. Se li ekscias, ke kie estas vivo, tie devas esti ankaŭ morto, tiam li ne malŝparos tro da energio por plilongigi sian vivon.

채근담 287(후62)

성공 후에는 반드시 실패가 따름을 깨닫는다면,
성공을 그다지 열망하지 않을 것입니다. 생명이 있는
곳에 죽음도 있음을 안다면, 생명을 연장하기 위해
너무 많은 에너지를 낭비하지 않을 것입니다.

Cai Gen Tan 288(D63)

Eminenta bonzo en la antikveco iam
diris: "La dancetanta ombro de bambuo
sur ŝtupoj ne povas balai la polvon for de
ili. La lunlumo brilanta sur lageton
postlasas neniajn spurojn sur la akvo."
Konfuceano-klerulo komentis: "Lasu
torentojn furiozi kaj muĝi; se vi nur havas
pacon en via koro, via ĉirkaŭaĵo estos
kvieta. Lasu florpetalojn fali kiel pluvo; se
via koro estas nur trankvila, vi estos
libera de ĉiaj zorgoj."
Kiam vi prenos tiun ĉi sintenadon
kontraŭ la mondo, vi certe sentos vin tute
senzorga kaj senĝena.

채근담 288(후63)

고대의 저명한 스님은 언젠가 말했습니다. "계단 위에서 춤추는 대나무 그림자는 먼지를 쓸어버릴 수 없습니다. 작은 연못에 비치는 달빛은 물 위에 흔적을 남기지 않습니다."

한 유학자는 "급류가 성나서 휘몰아치게 두세요. 마음이 평안하면 주변이 조용해질 겁니다. 꽃잎이 비처럼 떨어지게 두세요. 마음이 고요하면 근심 걱정이 없게 될 겁니다" 라고 말했습니다.

세상에 대해 이러한 태도를 취하면 분명히 걱정과 근심이 전혀 없다고 느낄 겁니다.

Cai Gen Tan 289(D64)

En absoluta trankvileco, aŭskultante la tonon de ondiĝantaj pinbrancôoj, aŭ la tintadon de rivereto frapanta ŝtonetojn, oni sentas, ke tiuj ĉi estas la murmuroj de la Naturo. Kun kvieta menso, rigardante la delikatan nebuleton sterniĝantan sur la sunorita horizonto de senlima herbejo aŭ la reflektojn de nuboj en kvieta lago, oni povas percepti la rave belan desegnon de la Naturo.

채근담 289(후64)

완전한 고요 속에서 소나무 가지가 물결치는 소리
나 시냇물이 자갈을 때리는 소리를 들으면 이것이
자연의 중얼거림임을 느낍니다. 고요한 마음으로 끝
없는 초원의 황금빛 햇살 가득한 지평선에 퍼지는
은은한 안개나 고요한 호수에 비친 구름을 바라보면
자연의 유쾌하고 아름다운 디자인을 느낄 수 있습니
다.

Cai Gen Tan 290(D65)

Kiam la imperio de Okcidenta Jin-dinastio
estis baldaŭ fariĝonta lando kovrita de
dornoarbetaĵoj, ĝi ankoraŭ fieris pri sia
armita potenco. Kiam oni jam staras per
unu piedo en la tombo, kie vulpoj kaj
leporoj havos siajn truojn, oni ankoraŭ
avidas riĉecon.

Malnova proverbo diras: "Sovaĝaj bestoj
estas facile dresitaj, sed la homa koro
estas malfacile regata; valoj povas esti
plenigitaj sen penegoj, sed la homaj deziroj
estas malfacile plenumitaj." Kiel veraj
estas tiuj ĉi vortoj!

채근담 290(후65)

서진제국은 머지않아 가시나무로 뒤덮인 나라가
될 때에도 여전히 무장력을 자랑했습니다. 여우와 산
토끼들이 굴을 파는 무덤에 이미 한 발을 디디고 서
있을 때에도 사람은 여전히 부를 갈망합니다.
옛 속담에 "들짐승을 길들이기는 쉽지만 사람의
마음을 다스리기는 어렵고, 계곡은 크게 애쓰지 않고
채울 수 있어도 사람의 욕심은 채우기 어렵다"고
했습니다. 이 말은 참으로 진리입니다!

Cai Gen Tan 291(D66)

Se en la plejinterno de via koro estas
nenia ventego, nek ondegoj, kien ajn vi
iros, vi estos meze de verdaj montoj kaj
klaraj riveretoj. Se en via kunnaskita
naturo estas la bona emo domaĝi ĉiajn
estaĵojn, kien ajn vi iros, vi vidos fiŝojn
gaje saltantajn kaj birdojn libere
flugantajn.

채근담 291(후66)

마음 깊은 곳에 폭풍도 없고 거센 파도도 없으면
어디로 가든지 푸른 산과 맑은 시냇물 가운데 있을

것입니다. 만약 타고난 본성이 모든 존재를 불쌍히 여기는 좋은 성품을 가지고 있다면, 어디를 가든지 물고기가 즐겁게 뛰고 새가 자유롭게 나는 것을 볼 것입니다.

Cai Gen Tan 292(D67)

Kiam la grandulo en sia grandioza robo vidas, kiel trankvila kaj eleganta estas ordinarulo vestita en kruda vesto, li ne povas sin deteni suspiri kun envio. Kiam riĉulo, kiu supersatigas sin ĉe luksa festeno, ekvidas la senzorgan kaj feliĉan vivon de simplaj homoj tra la senkurtena fenestro de ties domaĉo, li ne povas sin deteni eksenti ian sopiran malgajecon. Kial do homoj sin turnas al la rimedoj, kiuj estas kontraŭ la racio, por serĉadi riĉecon kaj famon? Tio estas kvazaŭ ligi *flamantajn torĉojn al la bovaj vostoj kaj kurigi ilin al la malamikaj soldatoj, aŭ stimuli ardajn virbovojn al sekskuniĝo kun ĉevalinoj. — Estus ja multe pli bone por homoj vivi en akordo kun siaj kunnaskitaj naturoj.

*flamantaj torĉoj : dum la Periodo de Militantaj Regnoj, Tian Dan, ĉefkomandanto de la regno Qi, kolektis pli ol mil bovoj kaj alligis torĉojn al iliaj vostoj. Li ordonis ekbruligi la torĉojn kaj kurigi la bovojn al la armeo de la regno Yan. Rezulte, la regno Qi gajnis la batalon. Tiu ĉi esprimo estas uzata ĉi tie por satiri homojn, kiuj uzas ĉiun eblan rimedon, por ĉasi famon kaj siajn proprajn interesojn.

채근담 292(후67)

화려한 옷을 입은 대인은 서민이 거친 옷을 입고 있는 것이 얼마나 차분하고 고상한지 보면 부러움의 한숨을 쉬지 않을 수 없습니다. 사치스러운 잔치를 즐기던 부자가 집의 커튼 없는 창문을 통해 소박한 사람들의 평온하고 행복한 삶을 엿볼 때, 일종의 아쉬운 우울함을 느끼지 않을 수 없습니다. 그렇다면 왜 사람들은 부와 명예를 추구하기 위해 이성에 반하는 수단에 의지합니까? 그것은 소의 꼬리에 횃불을 묶어 적군을 향해 질주하는 것이거나, 또는 불붙은 황소를 암말과 교미하도록 자극하는 것과 같습니다. — 사람은 타고난 본성과 조화롭게 사는 것이 훨씬 더 좋을 것입니다.

*불타는 횃불 : 전국시대 제나라 총사령관 전단이 천여 마리의 소를 모아서 그 꼬리에 횃불을 달고 불을 붙여 소들을 연나라 군대로 달려가도록 명령했다. 그 결과 제나라가 승리했다. 이 표현은 명예와 이익을 위해 온갖 수단을 다 쓰는 사람들을 풍자하는 데 쓰인다.

Cai Gen Tan 293(D68)

Kiam fiŝo naĝas en la akvo, ĝi forgesas, ke estas la akvo, kiu helpas al ĝi naĝi; kiam birdo flugas sur la vento, ĝi ne scias, ke estas la vento, kiu helpas al ĝi flugi. Kompreno pri tio ĉi ebligas al ni liberigi nin de la katenoj de eksteraj aferoj kaj gustumi la ĝojojn de la naturo.

채근담 293(후68)

물고기는 물 속에서 헤엄칠 때 자신이 헤엄치는 데 도움을 주는 것이 바로 물이라는 사실을 잊어버립니다. 새가 바람을 타고 날 때, 자신이 날아가는 데 도움을 주는 것이 바람임을 알지 못합니다. 이를 이해하면 우리는 외부 사물의 속박에서 벗어나 자연의 즐거움을 맛볼 수 있습니다.

Cai Gen Tan 294(D69)

La ruinoj de muroj, sur kiuj vulpoj dormas, kaj la forlasitaj pavilonoj kaj terasoj, en kiuj leporoj kuradas, iam estis scenejoj de gajeco kaj festenado. La nebulvualitaj ebenaĵoj kovritaj de velkintaj herboj kun kelkaj krizantemoj trempitaj en malvarma roso, iam estis lokoj, kie herooj interbatalis. Nek prospero, nek malprospero povas ĉiam daŭri! Kie do nun estas la iamaj fortaj kaj malfortaj? — Tiu ĉi penso naskas en la homa koro nur iluziecon kaj vantecon!

채근담 294(후69)

여우가 잠을 자는 다 쓰러진 담벼락과 토끼가 뛰노는 버려진 정자와 테라스는 한때 즐거운 잔치의 장소였습니다. 시든 풀과 찬 이슬에 젖은 국화 몇 송이가 뒤덮인 안개 자욱한 평원은 한때 영웅들이 맞서싸운 장소였습니다. 번영도 실패도 영원히 지속될 수는 없습니다! 그렇다면 언젠가의 강함과 약함은 지금 어디에 있습니까? — 이런 생각은 인간의 마음속에 환상과 허무만을 낳을 뿐입니다!

Cai Gen Tan 295(D70)

Restu indiferenta antaŭ la ricevitaj favoroj kaj la suferataj humiliĝoj, kaj rigardu en senzorgeco la florojn ekster via domo, kiel ili floras kaj velkas. Donu nenian atenton al tio, ĉu vi restos en aŭ retiriĝos el via ofico, kaj rigardu kviete la nubojn sur la horizonto, kiel ili libere kolektiĝas kaj disiĝas.

채근담 295(후70)

받은 호의와 고통스런 굴욕에 무관심하고, 집 밖에 있는 꽃이 어떻게 피고 지는 것을 무관심하게 지켜보십시오. 일을 계속할지, 그만둘지 아무런 관심을 갖지 말고 지평선 위의 구름이 어떻게 자유롭게 모여들고 흩어지는 것을 조용히 지켜보십시오.

Cai Gen Tan 296(D71)

En la serena kaj senlima nokta ĉielo estas vastega spaco por flugado de flugilhavaj insektoj, sed la noktopapilio nepre flugas rekte al la brulanta kandelo. La pura fonta akvo kaj freŝaj fruktoj troviĝas ĉie por esti ĝuataj, sed la strigo preferas la putran kadavron de ratoj. Ho ve, kiom da homoj do ekzistas en la mondo, kiuj ne agas kiel la noktpapilio kaj la strigo?

채근담 296(후71)

고요하고 무한한 밤하늘에는 날개 달린 곤충들이 날 수 있는 넓고 넓은 공간이 있지만, 부나비는 꼭 타고 있는 촛불을 향해 곧장 날아갑니다. 깨끗한 샘 물과 싱싱한 과일은 어디서나 즐길 수 있지만 부엉 이는 쥐의 썩은 시체를 더 좋아합니다. 아아, 부나비 나 부엉이처럼 행동하지 않는 사람이 세상에 얼마나 많이 있습니까?

Cai Gen Tan 297(D72)

Tiu, kiu ekiras sur floson kaj tuj pensas pri forĵeto de ĝi post atingo de la transa bordo, estas persono, kiu jam atingis iluminiĝon kaj estas ne plu katenata de eksteraj aferoj. Tiu, kiu, rajdante sur azeno, ankoraŭ serĉas azenon por sia rajdo, estas bonzo, kiu ne vere komprenas budhismajn doktrinojn.

채근담 297(후72)

떳목을 타고 건너편 해안에 도착하자마자 떳목을
버릴 생각을 하는 사람은 이미 깨달음을 얻은 사람
이고 더 이상 외부 사물에 얽매이지 않는 사람입니
다. 당나귀를 타면서도 여전히 당나귀를 구하는 사람
은 불교 교리를 제대로 이해하지 못하는 스님입니다.

Cai Gen Tan 298(D73)

Por sobra rigardanto, la arogantaj
granduloj kaj la tigre batalemaj herooj
estas ne pli ol formikoj svarmantaj sur
ranca viando aŭ muŝoj konkurantaj inter
si por leki sangon. Kiam amase leviĝas
disputoj pri pravo kaj malpravo kaj debatoj
pri profito kaj perdo, se vi nur povas
trakti ilin kun trankvila menso, ĉiuj
disputoj kaj debatoj malaperos for de vi
kiel metalo fandiĝanta en forno aŭ neĝo
degelanta en varma akvo.

채근담 298(후73)

깬 관찰자가 보기에 교만한 대인과 호랑이같이 싸
우는 영웅은 썩은 고기에게 몰려드는 개미나 피를

핥으려고 서로 경쟁하는 파리에 지나지 않습니다. 옳고 그름의 말다툼과 손익의 논쟁이 무더기로 생길 때, 차분한 마음으로 대처할 수만 있다면, 쇠가 용광로에 녹듯, 눈이 뜨거운 물에 녹듯이 모든 다툼과 논쟁은 사라져 버릴 것입니다.

Cai Gen Tan 299(D74)

Tiu, kiu estas katenata de materialaj deziroj, sentas, ke la vivo estas tragika, dum tiu, kiu konas sian veran kaj puran naturon, sentas, ke la vivo estas plena de ĝojo. Ekkompreno de la tragikeco de dezirkatenado tuj forpelas ĉiujn banalajn korinklinojn, kaj kono de la ĝojo de la vera kaj pura naturo povas konduki homon al la regno de saĝuloj.

채근담 299(후74)

물질적 욕망에 얽매인 사람은 삶이 비극적이라고 느끼는 반면, 자신의 참되고 순수한 본성을 아는 사람은 삶이 기쁨으로 가득 차 있다고 느낍니다. 욕망의 사슬이 주는 비극적 성격을 이해하면 헛된 모든 욕심을 즉시 쫓아내고, 참되고 순수한 본성의 기쁨을 알면 지혜의 나라로 인도될 수 있습니다.

Cai Gen Tan 300(D75)

Kiam jam estas nenia materiala deziro en via koro, la stato estas, kvazaŭ neĝo jam fandiĝus sur forno aŭ glacio jam degelus de la varmo de la suno. Tiam vi, vidante la reflekton de la luno en akvo, klare scias, ke ĝi estas la bildo de la vera luno pendanta en la vasta ĉielo.

채근담 300(후75)

마음에 어떠한 물질적 욕망이 없다면 그 상태는 마치 난로 위에서 이미 눈이 녹은 것과 같고, 태양열에 이미 얼음이 녹은 것과 같습니다. 그때 물에 비친 달의 모습을 보면 그것이 광활한 하늘에 떠 있는 진짜 달의 모습임을 분명히 알 수 있습니다.

Cai Gen Tan 301(D76)

Poezia inspiro fontas el natura loko rave pitoreska kiel la ponto *Baling. Apenaŭ poeziaĵo plene formiĝas, la montoj kaj la arbaroj alprenas poeziece majestan aspekton. Sento de sovaĝeco naskiĝas en belega pitoreskejo kiel la lago **Jinghu kaj la rivero Qu'e.

Apenaŭ vi iras tien sola, vi trovas la montojn speguliĝantaj en la akvo, kaj ĉio tiea fariĝas ĉarmega.

*La ponto Baling: situanta oriente de Chag'an-gubernio en Shaanxi-provinco, ĝi iam estis loko, kie homoj vivantaj en Chang'an dum Tang-dinastio(618-907) kutime diris adiaŭ al siaj forvojaĝontaj parencoj kaj amikoj.

**La lago Jinghu: situanta sude de Shaoxing en la nuna Zhejiang-provinco kaj apud la rivero Qu'e, ĝi iam estis vasta etendaĵo da akvo dum Tang-dinastio kaj la plejparto de ĝi iom post iom turniĝis en kampojn ekde Song-dinastio.

채근담 301(후76)

시적 영감은 *발링교처럼 아름답고 그림 같은 자연 장소에서 솟아납니다. 시가 완성되자마자 산과 숲은 시적으로 장엄한 모습을 띠게 됩니다. **징후호와 굴강과 같은 아름다운 명승지에서 야생의 느낌이 탄생합니다.

혼자 거기에 가자마자 물에 비친 산을 발견하고 그곳의 모든 것이 아주 매력적으로 변합니다.

*발링교: 산시성 차간현 동쪽에 위치하며, 당나라 (618-907) 시대 장안에 살던 사람들이 떠나는 친척과 친구들에게 작별 인사를 하던 곳이었습니다.

**징후호: 현재 절강성 소흥 남쪽, 굴강 옆에 위치하며 당나라 시대에는 광대한 호수였으나 송나라 이후에는 대부분이 조금씩 들판으로 변했습니다.

Cai Gen Tan 302(D77)

Birdo, kiu nestis longatempe, nepre flugas al granda alteco. Floro, kiu rapidas flori, certe paliĝos kaj velkos antaŭ ol la aliaj. Teni tion ĉi en la menso evitigos al vi desapontiĝojn kaj maltrankviliĝojn en via kariero, kaj ankaŭ helpos al vi forigi pensojn pri hasto ĉasi famon kaj riĉecon.

채근담 302(후77)

오랫동안 둥지를 틀어온 새는 높은 곳까지 날아야 합니다. 서둘러 피어나는 꽃은 반드시 다른 꽃보다 먼저 약해져서 시들어 버릴 것입니다. 이를 염두에

두면 경력에 대한 낙심과 걱정으로부터 벗어날 수 있으며, 명성과 재산을 쫓기 위해 서두르는 생각을 없애는 데도 도움이 될 것입니다.

Cai Gen Tan 303(D78)

Kiam ni vidas la foliojn fali de la arboj en vintro kaj turniĝi en humon, ni ekkomprenas, ke ili floras nur portempe kaj tute vane. Kiam ni vidas homon metita en ĉerkon, ni ekkomprenas, kiel vantaj estas tiaj aferoj, kiaj estas la riĉaĵoj kaj la virina beleco.

채근담 303(후78)

겨울에 나무에서 나뭇잎이 떨어져 부식토로 변하는 것을 볼 때, 그것들이 오직 잠깐동안만 피어나니 전혀 헛된 것임을 깨닫게 됩니다. 관에 누운 사람을 보면 부와 여자의 아름다움 같은 것이 얼마나 헛된 것인지 깨닫게 됩니다.

Cai Gen Tan 304(D79)

Vi volas transpasi la limojn de sensado kaj sciado kaj tamen penas konservi la purecon de la koro. Alkroĉiĝo al la formoj de eksteraj aferoj aŭ absoluta neado de ili montras, ke vi ankoraŭ ne hardas vin ĝis la grado atingi la regnon de la Vero. Demandu la budhistan patriarkon, kiel do tio povas esti. — Tiuj, kiuj vivas en vulgara mondo kaj penas ĝin transpasi, devas scii, ke ĉasi materialajn dezirojn estas doloro, sed rifuzi ĉiajn materialajn dezirojn same alportas doloron. Jen kial la sinkulturado ĉiam estas necesa.

채근담 304(후79)

당신은 느끼고 아는 것의 한계를 넘어서기를 원하면서도 마음의 순수성을 지키려고 노력합니다. 외부 사물의 형태에 집착하거나 그것들을 절대적으로 부인하는 것은 당신이 아직 진리의 영역에 도달할 정도로 자신을 굳건히 하지 않았음을 보여줍니다. 어떻게 그럴 수 있는지 불교의 종정에게 물어보십시오 — 속된 세상에 살면서 그것을 초월하려고 노력하는 사람들은 물질적 욕망을 쫓는 것도 고통스럽지만, 모든 물질적 욕망을 거부하는 것도 고통스럽다는 것을 알아야 합니다. 이것이 바로 토착화가 항상 필요한 이유입니다.

Cai Gen Tan 305(D80)

Homo kun altaj aspiroj povas fordoni grandan riĉaĵon por nenio, dum avarulo batalas eĉ por kuprero. Kvankam iliaj karakteroj estas diferencaj kiel la Ĉielo kaj la Tero, tamen iliaj deziroj — la unua je famo kaj la dua je riĉeco — estas tute samaj. La imperiestro regas la landon, kaj la almozulo krie petas nutraĵon. Kvankam iliaj situacioj estas diferencaj kiel la Ĉielo kaj la Tero, tamen kia diferenco do ekzistas inter la maltrankvilo de la unua kaj la plorkrio de la dua?

채근담 305(후80)

높은 열망을 가진 사람은 큰 재산을 거저 줄 수도 있지만, 구두쇠는 구리동전을 위해서도 싸웁니다. 비록 하늘과 땅만큼 그들의 성격은 다르지만, 처음 사람은 명예를 바라고 다음 사람은 부를 바라는 욕망은 완전히 똑같습니다. 황제가 나라를 다스리고, 거지는 먹을 것을 달라고 부르짖습니다. 비록 하늘과 땅만큼 그들의 처지가 다르지만, 처음 사람의 근심과 다음 사람의 울음 사이에 무슨 차이가 있겠습니까?

Cai Gen Tan 306(D81)

Tiu, kiu plene gustumis ĉiajn gustojn de la homa mondo, ĉiam ne emas malfermi siajn okulojn por doni atenton al iaj ajn eblaj ŝanĝoj, kiuj okazas en la mondo. Tiu, kiu jam penetras la sentojn kaj manierojn de homo kontraŭ homo en la mondo, donas nenian atenton al ĉiaj laŭdoj kaj kalumnioj ricevitaj, sed nur faras kapklinon sencele kaj indiferente.

채근담 306(후81)

인간 세상의 모든 맛을 충분히 맛본 사람은 세상에서 일어나고 있는 어떤 가능한 변화에 주의를 기울이기 위해 항상 눈뜨기를 바라지 않습니다. 이미 세상에서 사람에 대한 사람의 감정과 방식을 꿰뚫고 있는 사람은 모든 칭찬과 비방에 전혀 관심을 두지 않고 단지 하릴없이 담담하게 고개만 끄덕일 뿐입니다.

Cai Gen Tan 307(D82)

Nuntempe oni avide penas senigi sin je siaj deziroj, sed vanas la penado. Fakte, estas facile eniri en la sendeziran staton, se oni nur ne lasas al la antaŭaj deziroj resti en la koro, nek al la novaj enŝteliĝi, kaj se la nunaj leviĝas, ilin tuj elpelu.

채근담 307(후82)

요즘 사람들은 자신의 욕망을 없애기 위해 부단히 노력하지만 허사입니다. 사실 이전의 욕망이 마음 속에 남아 있도록 내버려두지 않거나 새로운 욕망이 스며드는 것을 허용하지 않으면 욕망없는 상태에 들어가기 쉽습니다. 지금 욕망이 생기면 즉시 쫓아내세요.

Cai Gen Tan 308(D83)

Imago, kiun la menso okaze kaptas, nature fariĝas agrabla belaĵo, kaj aĵo, kiu estiĝas kiel produkto de la naturo, povas vidigi sian misteran ĉarmon. Se troviĝas eĉ la plej eta signo de artefarita ornamo, ĝia gusto estas malpliigita. La Tang-dinastia poeto Bai Juyi diris: "Poezia iamgo estas la plej bona, se ĝi estas nur ideo tute senĝena. Nur natura venteto povas esti vere refreŝiga." Kiel profunda estas tiu ĉi eldiro!

때로 마음이 사로잡은 상상은 자연스럽게 즐거운 아름다움이 되고, 자연의 산물로서 생겨난 것은 신비한 매력을 발산할 수 있게 합니다. 조금이라도 인위적인 장식이 있으면 맛이 떨어집니다. 당나라 시인 백거이(白居伯)는 이렇게 말했습니다. "시적 상상은 단지 생각이 전혀 방해받지 않은 것이라면 최고입니다. 오직 자연의 미풍만이 진정으로 상쾌할 수 있습니다." 이 말이 얼마나 깊습니까!

Cai Gen Tan 309(D84)

Se via spirito estas senmakula, manĝi kiam malsatas kaj trinki kiam soifas, estas sanige kiel por la korpo, tiel ankaŭ por la menso. Sed se via spirito estas makulita, eĉ se vi studas sutrojn kaj budhismajn ĉantojn, finfine ĉio, kion vi faros, estos ne pli ol vana ludado per viaj menso kaj animo.

채근담 309(후84)

영혼에 흠이 없으면 배고플 때 먹고 목마를 때 마시는 것이 몸은 물론 마음도 치유됩니다. 그러나 영혼이 더럽혀지면 아무리 경전을 공부하고, 불경을 공부해도 결국에는 당신이 할 모든게 마음과 정신으로 노는 헛된 장난에 불과할 것입니다.

Cai Gen Tan 310(D85)

En ĉies koro estas Paradizo; eĉ se nenia bela muziko estas ludata, vi tamen povas senti vin ĝoja kaj trankvila, kaj eĉ se nenia incenso estas bruligita, nek aroma teo donata, vi tamen estas regalata per refreŝigaj odoroj. Pensu nur pri la Pura Mondo de Budho, kaj ĉiaj ĉagrenoj malaperos el via menso. Forĵetu ĉiajn karnajn zorgojn, kaj vi povos plenfeliĉe vagadi en la Regno de la Beatulo.

채근담 310(후85)

모든 사람의 마음속에는 천국이 있습니다. 아름다운 음악이 연주되지 않아도 여전히 즐겁고 편안한 느낌을 받을 수 있고, 향을 피우지 않아도, 향기로운 차를 마시지 않아도 여전히 상쾌한 향기를 느낄 수 있습니다. 부처님의 청정세계만을 생각하면 모든 슬픔이 마음에서 사라질 것입니다. 모든 육신의 염려를 버리면 축복의 나라에서 행복하게 거닐 수 있을 것입니다.

Cai Gen Tan 311(D86)

Same kiel oro venas el erco kaj jado el roko, tiel la vero estas serĉata nur el la sentebla ĉirkaŭaĵo de la homo. La mistero de la Taŭo estas atingebla en la vinglaso, kaj la senmortuloj estas renkonteblaj inter ĉarmaj floroj. Sekve, kvankam oni penas serĉi la noblecon, tamen ĝi ne povas esti trovebla en la izoliteco for de la vulgareco.

채근담 311(후86)

금이 광석에서, 옥이 바위에서 나오듯이 진리는 인간의 감각적인 환경에서만 추구됩니다. 와인잔 속에서 도의 신비에 닿을 수 있고, 매력적인 꽃들 사이에서 불멸의 존재들을 만날 수 있습니다. 그러므로 고귀함을 찾으려 해도 천박함을 떠나서는 찾을 수 없습니다.

Cai Gen Tan 312(D87)

La miriadoj da estaĵoj en la mondo, la miriadoj da interhomaj rilatoj kaj la miriadoj da aferoj de la kosmo ĉiuj estas inter si diferencaj. Sed vidataj per la okuloj de homo, kiu atingis la Taŭon, ili estas esence la samaj. Ĉu do estas necese fari distingon inter ili, kaj elekton aŭ forĵeton?

채근담 312(후87)

세상의 만물, 만가지 인간관계, 우주 중의 모든 일들은 모두 서로 다릅니다. 그러나 도에 이른 사람의 눈을 통해 보면 그것들은 본질적으로 동일합니다. 그렇다면 선택과 거부, 즉 그것들 사이에서 구별할 필요가 있을까요?

Cai Gen Tan 313(D88)

Dolĉe dormante envolvita en kruda kanaba litkovrilo, oni povas kapti la veran esencon de la universo. Nutrante sin per simplaj nutraĵoj oni povas taksi la veran valoron de simpla vivo.

채근담 313(후88)

거친 삼베 이불을 덮고 단잠을 잠으로써 우주의
진정한 본질을 포착할 수 있습니다. 간단한 음식을
먹음으로써 단순한 삶의 진정한 가치를 인식할 수
있습니다.

Cai Gen Tan 314(D89)

Ĉu vi povas liberigi vin de viaj ĉagrenoj
aŭ ne, dependas tute de via mensostato.
Se vi jam atingis la veron de budhismo, vi
povas, eĉ en buĉejo aŭ vintrinkejo, senti
vin kvazaŭ en la Pura Lando. Alie, eĉ se
vi elegante vivas en kvieteco, ludante
liuton, bredante gruon kaj kultivante
florojn kaj bambuojn, la Demono tamen
loĝas en via koro. Malnova proverbo
diras: "Se vi povas liberigi vin de ĉiaj
mondaj deziroj, la banala mondo fariĝas
Paradizo. Alie, eĉ se vi metas sur vin
bonzan robon kaj loĝas en templo, vi
tamen restos neiluminita laiko."
Kia trafa maksimo!

채근담 314(후89)

당신이 근심에서 벗어날 수 있는지 여부는 전적으로 마음 상태에 달려 있습니다. 이미 불교의 진리에 도달했다면 도살장이나 술자리에서도 마치 정토에 있는 듯한 느낌을 받을 수 있습니다. 그렇지 않으면 비파를 불고, 학을 키우고, 꽃과 대나무를 가꾸고, 조용하고 우아하게 살더라도, 마귀는 여전히 마음 속에 깃들어 있습니다. 옛 속담에 이런 말이 있습니다. "모든 세속의 욕망에서 벗어나면 헛된 세상이 천국이 됩니다. 그렇지 않으면 승려옷을 입고 절에 살아도 여전히 깨닫지 못한 신자에 머물게 될 것입니다." 정말 적절한 격언입니다!

Cai Gen Tan 315(D90)

Sidante en mia modesta ĉambreto mi trovas, ke ĉiaj zorgoj kaj ĉagrenoj malaperas el mia menso. Kial do ĉi-momente necesus al mi sopiri pri luksa domego? Trinkinte tri tasojn da vino mi ekkaptas la sekreton de tenado de mia vera naturo en paco, kaj pensas nur pri la liuta kaj fluta muziko, kiu akompanas mian recitadon de poeziaĵoj sub la luno.

채근담 315(후90)

소박한 작은 방에 앉아 있으면 모든 걱정과 근심
이 마음에서 사라지는 것을 발견합니다. 그런데 왜
지금 이 시점에서 호화로운 저택을 바라는 게 필요
합니까? 술을 세 잔 마시고 나면 본성을 평화롭게
유지하는 비밀을 깨닫기 시작하고, 달빛 아래서 시를
읊조리며 비파와 피리 음악만 생각합니다.

Cai Gen Tan 316(D91)

En la absoluta silento de la naturo mi
subite ekaŭdis birdan krion kaj ĝi vekas
en mia koro senton de superba eleganteco.
Kiam ĉiuj herboj kaj floroj estas velkintaj,
subite mi ekvidas unu, kiu ankoraŭ vigle
kreskas, kaj mi tuj sentas min pleniĝanta
de senlima vivoforto. El tio mi povas
ekscii, ke la origina esenco de la naturo
neniam velkas kaj ke la dieco de la naturo
inspiras vivecon al ĉio, kion ĝi tuŝas.

채근담 316(후91)

자연의 절대적인 고요함 속에서 문득 새의 울음소
리를 들었고, 그 소리는 마음속에 최고의 우아함을

일깨워줍니다. 풀과 꽃이 다 시들고 나면, 문득 아직도 성성하게 자라고 있는 한 그루를 보니, 즉시 무한한 생명력으로 가득 차 있음을 느낍니다. 이를 통해 자연의 본래 본질은 결코 시들지 않으며, 자연의 신성함은 그것이 닿는 모든 것에 생명력을 불어넣음을 알 수 있습니다.

Cai Gen Tan 317(D92)

La Tang-dinastia poeto Bai Juyi diris: "La korpo kaj la menso devas esti lasitaj al siaj funkcioj. Kaj gajno kaj perdo, sukceso kaj malsukceso, estas deciditaj de la Ĉielo." Sed Chao Buzhi* diris: "Pli bone estas teni la korpon kaj menson en regado, Kolektu viajn distritajn pensojn, kaj vi retrovos kvietecon." Homoj, kiuj lasas al siaj korpo kaj menso fari kion ajn ili volas, ofte fariĝas senbridaj kaj tro liberaj, dum tiuj, kiuj tenas severan regadon de siaj korpo kaj menso, ofte trovas sin malvigla kaj stagna. Nur tiuj, kiuj scias bone mastri sian internan memon, povas dece regi sin aŭ lasi liberecon al siaj korpo kaj menso.

*Chao Buzhi: beletristo en la epoko de la

Norda Song-dinastio.

채근담 317(후92)

당나라 시인 백거이는 "몸과 마음은 그 기능에 맡겨야 합니다. 득실과 성패는 모두 하늘이 정한 것입니다" 라고 말했습니다. 그러나 조부지는 "몸과 마음을 통제하고 산만해진 생각을 모으는 것이 더 낫습니다. 그러면 고요함을 찾을 것입니다." 라고 말했습니다. 몸과 마음이 원하는 대로 놔두는 사람은 방종하고 너무 자유로워지는 반면, 몸과 마음을 엄히 통제하는 사람은 흔히 나태하고 정체됩니다. 내면의 자아를 잘 관리할 줄 아는 사람만이 자신을 제대로 다스리거나 몸과 마음에 자유를 줄 수 있습니다.

*조부지: 북송시대의 화가.

Cai Gen Tan 318(D93)

Rigardante la palan lunon en la ĉielo dum neĝa nokto, oni sentas la koron aparte klara. Kiam blovas milda printempa venteto, oni sentas la koron facila kaj ĝoja. En tia tempo oni povas diri, ke la Naturo kaj la homa koro kunfandiĝas en unu tuton.

- 269 -

채근담 318(후93)

눈 내리는 밤 하늘에 뜬 희미한 달을 쳐다보면 마음이 유난히 맑아지는 느낌이 듭니다. 부드러운 봄바람이 불면 마음이 가벼워지고 즐거운 기분이 듭니다. 그럴 때 자연과 인간의 마음이 하나로 융합된다고 말할 수 있습니다.

Cai Gen Tan 319(D94)

Severa simpleco produktas eseojn, kaj konstanta simpleco faras sinkulturadon plenumita: La "simpleco" havas senliman signifon. Ekzemple, en la versoj "La bojado de hundoj ĉe la Persikflora Fonto kaj la krioj de kokoj sur la morusarba kampo" kiom da pureco kaj simpleco enestas! Sed la versoj "La reflekto de la luno en la malvarma lageto kaj la korvoj sidantaj en la antikvaj arboj", elvokas en ni tamen ian senton de morna kadukeco, kvankam esprime ili estas tre belaj.

채근담 319(후94)

극도의 단순함은 수필을 낳고, 끊임없는 단순함은

자기계발을 이룹니다. "단순함" 은 무한한 의미를 갖습니다. 예를 들어, "도화원 개 짖는 소리, 뽕나무 밭 수탉 울음소리" 라는 구절은 얼마나 순수하고 단순합니까! 그러나 "차가운 연못에 비친 달과 고목에 앉아있는 까마귀" 라는 구절은 표현적으로는 매우 아름답지만 여전히 우리에게 우울하고 좋지않은 느낌을 불러 일으킵니다.

Cai Gen Tan 320(D95)

Kiam mi uzas mian povon por manipuli aferojn ekster mi, mi ne sentas ĝojon tiam, kiam mi atingas ion, nek malĝojon tiam, kiam mi suferas malsukceson. Tiamaniere mi neniam perdas mian ekvilibron de menso, en kia ajn situacio mi troviĝas. Sed kiam mi lasas al eksteraj aferoj regi min, tiuokaze, kiam aferoj iras kontraŭ miaj deziroj, rankoro leviĝas en mia koro, kaj kiam aferoj iras laŭ miaj deziroj, mi ŝate alkroĉiĝas al ili per mia koro. En tia situacio eĉ io tiel maldika kiel haro povas fariĝi katenoj min ligantaj.

채근담 320(후95)

힘을 사용해 외부의 것들을 조작할 때, 뭔가를 성
취해도 기쁨을 느끼지 않고, 실패를 겪어도 슬픔을
느끼지 않습니다. 이런 식으로 나는 어떤 상황에서도
결코 평정심을 잃지 않습니다. 그러나 외적인 것이
나를 지배하게 하여 내 뜻대로 되지 않을 때에는 마
음에 원망이 생기고 내 뜻대로 될 때에는 애틋하게
마음으로 붙듭니다. 그런 상황에서는 머리카락 한 가
닥조차 나를 묶는 사슬이 될 수 있습니다.

Cai Gen Tan 321(D96)

Kiam estingiĝas la ideo pri afero, la
afero mem estingiĝas. Sed kiam persono
forigas aferon kaj tamen ankoraŭ
alkroĉiĝas al la ideo pri ĝi, tio estas kiel
peni forigi la ombron dum konservado de
la formo — la formo ankoraŭ konservas
sian ombron. Kiam la koro estas liberigita
de mondaj pensoj, ankaŭ la medio, en kiu
ĝi troviĝas, fariĝos malplena. Persono, kiu
deziras malplenigi la medion sen antaŭe
malplenigi sian koron, estas kiel homo, kiu
elmetas pecon da malbonodora putraĵo kaj
penas forpeli la moskitojn kaj muŝojn.

채근담 321(후96)

사물에 대한 생각이 없어지면 사물 자체도 없어집니다. 그러나 사물을 제거하면서도 여전히 그것에 대한 생각에 집착한다면 형태를 유지하면서 그림자를 제거하려는 것과 같습니다. 즉 형태는 여전히 그림자를 유지합니다. 마음이 세상 생각에서 벗어나면 그것이 있는 환경도 공허해집니다. 마음을 먼저 비우지 않고 환경만 비우고자 하는 사람은 악취나는 썩은 덩어리를 내놓고 모기와 파리를 쫓아내려는 사람과 같습니다.

Cai Gen Tan 322(D97)

La ermito trovas kontentiĝon en ĉio, kion li faras por pasigi sian tempon: li trovas plej grandan plezuron en vintrinkado sen alies instigo; li havas ĝuon en ŝakludo sen rivalado; li trovas flutajn melodiojn improvizitajn plej ĉarmaj, kaj la sonon produktitan de liuto sen kordoj li prenas kiel la plej dolĉan. Hazardaj renkontiĝoj estas por li la plej bonaj, kaj gastojn, kiuj bezonas nek bonvenigon, nek adiaŭ-diron, li rigardas kiel la plej

sincerajn kaj agrablajn. Ĉio ĉi tio, se
strebata kun rigida alkroĉiĝo al banalaj
moroj kaj formalaĵoj, kondukas homon al
la maro de suferoj — jen kia ja estas nia
mondo!

채근담 322(후97)

은둔자는 시간을 보내기 위해 하는 모든 일에서
만족을 찾습니다. 즉 다른 사람의 재촉 없이 포도주
를 마시는 데서 가장 큰 즐거움을 찾습니다. 경쟁이
없이 오락을 하며 기뻐합니다. 즉흥적으로 연주된 피
리 선율이 가장 매력적이라고 생각하며, 현 없는 루
트가 내는 소리를 가장 감미롭게 여깁니다. 우연한
만남이 가장 좋고, 환영도 작별도 필요 없는 손님을
가장 성실하고 유쾌한 손님으로 여깁니다. 이 모든
것이 헛된 예의와 형식에 대한 완고한 집착으로 추
구된다면 사람을 괴로움의 바다로 인도하게 됩니다
— 우리 세상이 바로 이런 것입니다!

Cai Gen Tan 323(D98)

Se vi penas kontempli, kiel vi aspektis
antaŭ via naskiĝo kaj kio vi estos post via
morto, ĉiuj viaj pensoj malvarmiĝos kiel
morta cindro; ĉio, kio restos, estos la

senŝanĝa kvieteco de via natura esenco.
Tiam vi povos transpasi la mondon de
estaĵoj kaj vagi en la mondon antaŭan al
la kreado de la miriadoj da estaĵoj.

채근담 323(후98)

태어나기 전의 모습과 죽은 후에는 어떤 모습일지
생각해보면 모든 생각이 죽은 재처럼 차가워질 것입
니다. 남은 것은 당신의 자연적 본질의 변하지 않는
고요함뿐일 것입니다. 그때 당신은 존재의 세계를 초
월하여, 만물이 창조되기 전의 세계를 향해 헤맬 수
있을 것입니다.

Cai Gen Tan 324(D99)

Ekkoni la altvalorecon de sano post
malsaniĝo, alte taksi la benon de paco
post leviĝo de tumulto — tio ne povas esti
nomata antaŭvido. Esti feliĉa kaj percepti,
ke feliĉo estas la radika kaŭzo de
malfeliĉo, avidi vivon kaj percepti, ke vivo
estas la kaŭzo de morto — tio montras
altgradan sagacecon.

채근담 324(후99)

질병 뒤에 건강의 소중함을 깨닫고, 환난 뒤에 평
화의 축복을 높이 평가하는 것, 그것은 선견지명이라
고 할 수 없습니다. 행복하면서 행복이 불행의 근본
원인임을 깨닫고, 삶을 갈망하면서 삶이 죽음의 원인
임을 아는 것은 높은 수준의 지혜를 보여줍니다.

Cai Gen Tan 325(D100)

Aktoro ŝminkas aŭ pentras sian vizaĝon
tiel, ke ĝi aspektas bele aŭ malbele. Sed
en la palpebruma daŭro la prezentado
finiĝas; kie do nun estas la beleco kaj
malbeleco? Ŝakludantoj streĉas ĉiun sian
nervon por venki sian kontraŭulon. Sed
en palpebruma daŭro la ludo finiĝas; kie
do nun estas la ĵusa venko kaj malvenko?

채근담 325(후100)

배우는 자신의 얼굴이 아름답거나 추해 보이도록
화장하거나 칠합니다. 하지만 눈 깜짝할 사이에 공연
은 끝납니다. 아름다움과 추함은 지금 어디에 있습니
까? 오락하는 사람들은 상대를 물리치기 위해 모든
신경을 곤두세웁니다. 하지만 눈 깜짝할 사이에 놀이

는 끝납니다. 방금의 승패는 지금 어디에 있습니까?

Cai Gen Tan 326(D101)

La gracieco de floroj karesataj de la venteto kaj la pura paleco de la luno en neĝa nokto povas esti plene aprezataj nur de tiu, kiu estas kvietema en la menso. La allogo de la florado kaj velkado de arboj ĉe lageto, kaj la kreskado kaj kadukiĝo de bambuoj kaj rokoj, povas esti sentataj nur de persono, kiu vivas senzorgan kaj serenan vivon.

채근담 326(후101)

바람에 살랑거리는 꽃의 우아함과 눈 내리는 밤의 맑고 희미한 달은 마음이 고요한 사람만이 충분히 감상할 수 있습니다. 연못가에서 나무가 꽃피고 지는 것, 대나무와 바위가 자라고 시드는 것의 매력은 근심 걱정 없이 고요한 삶을 사는 사람만이 느낄 수 있습니다.

Cai Gen Tan 327(D102)

Menciu simple kuiritan kokaĵon kaj

nerafinitan vinon al kampuloj, kaj iliaj okuloj ekbrilos kun ĝojo. Sed rakontu al ili pri luksaj bankedoj, kaj iliaj okuloj montros konfuzitecon pro kompleta manko de kompreno. Diskutu pri krudaj vestoj de kamparanoj, kaj ili radios de ĝojo. Sed demandu ilin pri la pompaj roboj portataj de regnaj oficistoj, ili nur dube skuos la kapon. Tio estas memkomprenebla, ĉar ili konservas sian originan naturon en perfekta stato, tial iliaj deziroj estas tenataj ĉe la rudimenta nivelo. Tio estas la plej alta regno de plezuro, kiun la homa vivo devas atingi.

채근담 327(후-102)

농부들에게 간단하게 요리한 닭고기와 정제되지 않은 포도주를 언급하면 그들의 눈은 기쁨으로 빛날 것입니다. 그러나 호화로운 잔치를 말하면 그들의 눈은 전혀 깨닫지 못하므로 당황하게 보일 것입니다. 거친 농민 옷에 대해 이야기하면 그들은 기뻐할 것입니다. 그러나 왕실 관리들이 입는 화려한 예복에 대해 물어보면 그들은 의구심에 고개를 저을 것입니다. 이것은 자명한 일입니다. 그들은 원래의 본성을 완벽한 상태로 유지하고 따라서 그들의 욕망도 초보적인 수준으로 유지되기 때문입니다. 그것이 바로 인생이 도달해야 할 가장 높은 영역의 쾌락입니다.

Cai Gen Tan 328(D103)

Se la homa koro estas kulturata ĝis tia grado, ke ĝi ne plu nutras mondecajn pensojn, tiam por kia celo do servas la introspekto? La admono de budhismo, ke oni pasigu tempon observante sian koron, egalas nur intencan kreon de obstakloj al tio. La miriadoj da estaĵoj estas identaj inter si en sia esenco, tial, por kia celo do estas fari specialajn penojn por egale trakti ĉiujn homojn? La doktrino de antikva filozofo Zhuangzi pri la egaleco de ĉiuj estaĵoj fakte supozigas distingojn tie, kie neniaj distingoj ekzistas.

채근담 328(후103)

인간의 마음이 더 이상 세속적인 생각을 하지 않을 정도로 교육받는다면, 성찰하는 목적은 무엇입니까? 자신의 마음을 살피는 데 시간을 투자하라는 불교의 훈계는 고의적으로 이에 대한 장애물을 만드는 것에 불과합니다. 수많은 존재는 본질상 서로 평등하므로 모든 사람을 평등하게 대하기 위해 특별한 노력을 기울이는 목적은 무엇입니까? 모든 존재의 평등에 대한 고대 철학자 장자의 교리는 실제로 차별이 존재하지 않는 곳에 차별을 가정합니다.

Cai Gen Tan 329(D104)

Homo, kiu ĝustigas sian veston kaj foriras sen bedaŭro ĉe la kulmino de sia diboĉado, estas homo iluminiĝinta, kiu scius reteni sian kurantan ĉevalon ĝuste ĉe la rando de krutegaĵo. Li meritas universalan admiron. Homo, kiu ankoraŭ klopodas pri famo kaj riĉeco eĉ malfrue en la nokto, estas senindulo, kiu dronas en la maro de suferoj. Li elvokas nur malestiman ridon.

채근담 329(후104)

사치의 절정에서 옷을 바르게하고 미련없이 떠나는 사람은 달리는 말을 벼랑 끝에서 제지할 줄 아는 깨달은 자입니다. 일반의 찬사를 받을 자격이 있습니다. 늦은 밤에도 여전히 명예와 부를 위해 애쓰는 사람은 괴로움의 바다에 빠져 있는 무가치한 자입니다. 경멸의 웃음만을 불러일으킵니다.

Cai Gen Tan 330(D105)

Se via konduto estas nesufiĉe kulturita kaj via interna koro ne havas la kapablon regi mondajn dezirojn, vi devas eviti la vulgaran socion, por ke via interna koro ne vidu aferojn, kiuj vekus malnoblajn dezirojn kaj ĵetus konfuzon en vian menson.

Tio tenos vin trankvila kaj pura, kaj liberigos vin de sopiroj.

Kiam via konduto estas plene kulturita, kaj via interna koro havas la kapablon rezisti al mondaj tentoj, vi devas reveni al la socio, ĉar via interna koro ne pekos pro elmetiĝo al malnoblaj deziroj.

Tio estas la maniero hardi vin por transpasi la regionon de pravo kaj malpravo, kaj liberigi vin de la katenoj de eksteraj aferoj.

채근담 330(후-105)

행동이 충분히 계발되지 않고 내면이 세속적인 욕망을 다스리는 능력이 없다면 속된 세상을 피하여 내면이 악한 욕망을 일으키고 마음을 혼란에 빠뜨리는 것을 보지 않도록 해야 합니다.

그러면 차분하고 깨끗해지며, 갈망으로부터 자유로 워질 것입니다.

행동이 완전히 계발되고 내면이 세상의 유혹에 저항할 수 있는 능력을 갖게 되면 사회로 돌아가야 합니다. 왜냐하면 내면이 사악한 욕망에 노출되어 죄를 짓지 않을 것이기 때문입니다.

그것이 옳고 그름의 영역을 넘나들 수 있도록 자신을 굳건히 하는 길이며, 외부 사물의 속박에서 벗어나는 길입니다.

Cai Gen Tan 331(D106)

Tiuj, kiuj amas kvietecon kaj malamas bruon, ofte fuĝas de la homa mondo kaj serĉas izolitecon. Ili esperas eviti bruon, sed ili ne komprenas, ke tiele ili metas sin en staton de efektiva ekzisto, kiu povos kaŭzi novajn ĝenojn eĉ sen alies bruado. Sekve el tio oni povas vidi, ke se la homa interna koro penas alkroĉiĝi al la kvieteco, la peno mem estas la fonto de moviĝoj. Tiuokaze, kiel do oni povas kulturi la kapablon rigardi la aliajn kaj sin mem kiel identajn kaj forgesi ĉiujn distingojn inter moveco kaj senmoveco?

채근담 331(후106)

조용함을 좋아하고 소음을 싫어하는 사람들은 종 종 인간 세상을 떠나 고독을 추구합니다. 그들은 소 음을 피하고 싶어하지만, 이런 식으로 자신을 실제 존재 상태에 두어 다른 사람의 소음 없이도 새로운 불편을 초래할 수 있다는 것을 이해하지 못합니다. 결과적으로 인간의 내면이 고요함을 고수하려고 하 면 그 노력 자체가 움직임의 원천이라는 것을 알 수 있습니다. 그렇다면 타인과 자신을 동일시하고 이동 성과 부동성의 모든 구별을 잊는 능력을 어떻게 키 울 수 있습니까?

Cai Gen Tan 332(D107)

Kiam oni vivas en la montoj, kun sia koro freŝa kaj senĝena, ĉio, al kio oni venas en kontakton, povas estigi belajn kaj elegantajn impresojn. Rigardado de liberaj nuboj kaj sovaĝaj gruoj povas stimuli sublimajn pensojn. Renkonto kun rivereto murmuranta en roka ravineto povas naski la intencon elpeli ĉiujn malpuraĵojn kiel el la korpo, tiel ankaŭ el la menso. Karesado al sabino aŭ prunarbo povas tuj inundi min per ideoj pri morala honesteco.

Kun mevoj kaj elafuroj kiel kunuloj, ĉiuj postesignoj de intrigoj kaj malicaĵoj malaperas el la menso. Sed tuj kiam oni revenas al la banala mondo, oni trovas sin ne nur fremda al ĉiuj ĉi eksteraj aferoj, sed eĉ superflua por tiu ĉi mondo.

채근담 332(후-107)

산에 살다 보면 마음이 싱그럽고 평온해지며, 접하는 모든 것이 아름답고 우아한 인상을 줄 수 있습니다. 자유로운 구름과 야생 두루미를 바라보는 것은 숭고한 생각을 자극할 수 있습니다. 바위산 계곡에서 졸졸 흐르는 시냇물과의 만남은 몸과 마음의 모든 더러움을 쫓아내려는 의도를 낳을 수 있습니다. 상록수나 자두나무를 어루만지면 즉시 도덕적 올바름에 대한 생각이 넘쳐날 수 있습니다. 갈매기와 큰 사슴을 동료로 삼으면 모든 음모와 악의의 흔적이 마음에서 사라집니다. 그러나 평범한 세계로 돌아오자마자 이 모든 외부적인 것들에 낯설 뿐만 아니라 이 세상에 여분의 존재라는 사실을 깨닫게 됩니다.

Cai Gen Tan 333(D108)

Kiam bona humoro vin ekregas, nudapiede promenu senhaste en aroma herbaro.　　Tiam　la　sovaĝaj　birdoj, forgesante　ĉiajn　homajn　ruzaĵojn　kaj perfidaĵojn, flugados kaj ludos ĉirkaŭ vi. Kiam vi kunfandiĝos kun via ĉirkaŭaĵo kaj sidos inter la falintaj petaloj dronante en viaj pensoj, kun via jako drapire sur viaj ŝultroj,　la　liberaj　nuboj,　kiuj　silente flosados super vi, kvazaŭ malinklinos foriĝi de vi.

채근담 333(후108)

　기분이 좋을 때는 향기로운 풀밭을 맨발로 여유롭게 산책해 보세요. 그러면 들새들이 인간의 모든 계략과 배신을 잊어버리고 날아와서 여러분 주위에서 놀 것입니다. 주변 환경에 융화되어 생각에 잠긴 채 떨어진 꽃잎 사이에서 재킷을 어깨에 걸치고 앉아 있으면, 자유로운 구름이 마치 여러분을 떠나지 않으려는 듯 조용히 여러분 위에 떠 있을 것입니다.

Cai Gen Tan 334(D109)

Feliĉo kaj malfeliĉo ambaŭ devenas el la menso.　　Sekve,　laŭ　budhisma　instruo: "Deziro pri profito estas kiel furioza fajro, fajro pereiga. Droni en avido kaj avareco estas faligi sin en maron de suferoj. Sed la elvoko de eĉ unu ideo pri pureco kaj sinliberigo de deziro povas ŝanĝi la pereigan fajron en malvarmetan lageton, kaj la formiĝo de eĉ unu eta koncepto pri singardo kontraŭ avido povas ebligi eniron en la budhisman Paradizon."

El tio oni povas vidi, ke eĉ tre eta ŝanĝo en pensoj povas tuj ŝanĝi la mondon, en kiu ni nin trovas. Kiel do ni povus ne vigligi nian singardemon kontraŭ tio ĉi?

채근담 334(후-109)

행복과 불행은 모두 마음에서 비롯됩니다. 그러므로 불교 가르침에 따르면, "이익에 대한 욕망은 맹렬한 불, 파괴적인 불과 같습니다. 탐욕과 인색함에 빠짐은 고통의 바다에 빠지는 것입니다. 하지만 순수에 대한 하나의 생각이라도 하고 욕망에서의 자기해탈은 파괴의 불을 시원한 연못으로 바꿀 수 있고, 탐욕에 대한 조심이라는 작은 개념이라도 있으면 불교의 천당에 들어갈 수 있습니다."

이것으로부터 생각의 아주 작은 변화라도 우리가 살고 있는 세상을 즉시 바꿀 수 있다는 것을 알 수 있습니다. 그렇다면 우리는 이에 대해 어떻게 주의를 기울이지 않을 수 있겠습니까?

Cai Gen Tan 335(D110)

Kiel streĉita ŝnuro segile tr;ĉrompas
ŝtipon, tiel senĉesaj akvogutoj traboras
ŝtonon. En la sama maniero tiu, kiu
sekvas la Taŭon, devas konstante penadi
en sia serĉado de la viv-esenco. Akvo
nature fluas en kanalojn, kaj la
maturiĝinta melono nature falas de la tigo.
Sekve la persono, kiu deziras atingi la
Taŭon, devas persisti en sinkulturado, kaj
fine li havos sian deziron plenumita.

채근담 335(후110)

팽팽한 끈이 톱처럼 통나무를 자르듯이, 끊임없이
떨어지는 물방울이 돌을 관통합니다. 마찬가지로 도
를 따르는 사람은 삶의 본질을 찾기 위해 끊임없이
노력해야 합니다. 물은 자연스럽게 수로로 흐르고,
잘 익은 수박은 줄기에서 자연스럽게 떨어집니다. 그
러므로 도에 도달하고자 하는 사람은 꾸준한 자기수
양을 해야 하며, 결국에는 자신의 소원을 성취하게
될 것입니다.

Cai Gen Tan 336(D111)

Kiam mondaj intrigoj kaj malicaĵoj estas forpelitaj el la koro, tiam aperas klara luno kaj blovas printempa zefiro, kaj la vivo eniras en la regnon de la belo. — Ne estas necese rigardi la homan mondon kiel maron de suferoj. Se oni fortenas la koron de la vulgara mondo, tiam la bruado de ĉiutagaj aferoj ne plu estas aŭdata. — Ne estas necese iri kaj vivi kiel ermito en sovaĝaj montoj.

채근담 336(후111)

세상의 음모와 악의를 마음에서 몰아내면 맑은 달이 나타나고 봄의 미풍이 불며 생명은 아름다움의 영역으로 들어갑니다. — 인간세상을 괴로움의 바다로 볼 필요는 없습니다. 속된 세상을 멀리하면 일상의 소음이 더 이상 들리지 않습니다. — 굳이 험한 산에 가서 은둔자처럼 살 필요는 없습니다.

Cai Gen Tan 337(D112)

Kiam vegetaĵoj estas velkintaj kaj mortintaj, novaj ŝosoj aperas en la lokoj, kie ili estis.　Kiam la vintra sezono venas kaj ĉio ekstere fariĝas malvarma, la varma vetero sin preparas por reveni tiam, kiam la fragmita cindro∗ moviĝados en bambuaj flutoj.　Kiam la miriadoj da estaĵoj estas ŝlositaj en severa malvarmo, signoj de senĉesa kreskado tamen ĉie montriĝas.　El tio ni povas percepti la grandan favoron de la Naturo al la vivo.

∗fragmita cindro : la restaĵo de brulintaj fragmitaj plantoj. en la antikva Ĉinio oni kutime metis fragmitan cindron en 12-tonajn flutojn kaj tenis ilin en fermita ĉambro por konstati la ŝanĝiĝojn de la vetero.　kiam la cindro en la fluto dise flugis supren, se oni nur ĵetis rigardon al la fluto, en kiu fragmita cindro moviĝis, oni eksciis, ke okazas veterŝanĝo.

채근담 337(후112)

식물이 시들어 죽으면 그 자리에 새로운 싹이 돋아납니다. 겨울이 오고 바깥이 모두 추워지면, 갈대의 재*가 대나무 피리에서 흔들릴 때 따뜻한 날씨가 다시 돌아올 준비를 합니다. 수많은 생물들이 혹독한 추위에 갇혀 있을 때에도 끊임없는 성장의 신호가 도처에 나타납니다. 이것으로부터 우리는 생명에 대한 자연의 큰 은총을 느낄 수 있습니다.

*갈대의 재 : 갈대를 태운 찌꺼기. 고대 치나에서는 날씨 변화를 감지하기 위해 보통 12음 피리 안에 갈대의 재를 넣어 밀폐된 방에 보관했습니다. 피리 속의 재가 위로 흩어져 날아갈 때, 갈대의 재가 움직이고 있는 피리를 보기만 해도 날씨가 변하고 있음을 알 았습니다.

Cai Gen Tan 338(D113)

Rigardu montan pejzaĝon post pluvo, kaj vi trovos, ke ĝi aspektas aparte bele. Aŭskultu la sonon de sonorilo en profunda nokto silenta, kaj vi trovos, ke ĝi estas aparte klara kaj foren-atinga.

채근담 338(후113)

비가 내린 후의 산 풍경을 바라보세요. 그것이 특히 아름답게 보인다는 것을 알게 됩니다. 깊고 고요한 밤에 종소리를 들어보세요. 그것이 유난히 맑고 멀리까지 닿는다는 것을 알게 됩니다.

Cai Gen Tan 339(D114)

Supreniro sur altan montopinton helpas al homo larĝigi sian mensan perspektivon; kontemplo al fluanta rivero helpas al liaj pensoj vagi malproksimen. Legado de libro en neĝa nokto helpas refreŝigi la spiriton.

Plengorĝaj kriegoj de sur la montosupro plenigas homon per vigleco kaj senbrida braveco.

채근담 339(후114)

높은 산봉우리에 오르는 것은 사람의 정신적 시야를 넓히는 데 도움이 됩니다. 흐르는 강에 대한 묵상은 생각이 멀리 흘러가는 데 도움이 됩니다. 눈 내리는 밤에 책을 읽으면 기분이 상쾌해집니다.

산꼭대기에서 들려오는 목청 높은 외침은 사람을 활력과 무제한의 용기로 가득 채웁니다.

Cai Gen Tan 340(D115)

Por persono kun grandanima koro, kiu estas libera de materialaj deziroj, abunda salajro valoras ne pli ol rompita argila poto, dum al malgrandanima persono, kies koro estas inundita de materialaj deziroj, io maldika kiel haro ŝajnas tiel granda, kiel rado de ĉaro.

채근담 340(후-115)

마음이 넓고 물질적 욕망이 없는 사람에게는 풍부한 급여가 깨진 질그릇과 다름없지만, 마음이 소심하고 물질적 욕망이 가득한 사람에게는 머리카락만큼 가느다란 무언가가 수레바퀴만큼 크게 보입니다.

Cai Gen Tan 341(D116)

Same kiel la Naturo ne povas ekzisti sen la vento, la luno, floroj kaj salikoj, tiel la spiritohava korpo ne povas ekzisti sen emocioj, deziroj, preferoj kaj manioj. Tial, la homo devas regi eksterajn aferojn anstataŭ esti regata de ili, kaj nur tiam ĉiuj liaj deziroj estos inspirataj de la Ĉielo, kaj liaj banalaj pensoj estos levataj al la regno de la Budho.

채근담 341(후116)

바람, 달, 꽃, 버드나무 없이는 자연이 존재할 수 없듯이 감정, 욕망, 선호, 집착 없이는 영혼을 가진 육체도 존재할 수 없습니다. 그러므로 사람은 외부의 사물에 지배당하지 않고 통제해야 하며, 그래야만 사람의 모든 욕망이 하늘에 의해 영감받을 수 있고, 사람의 진부한 생각이 부처의 경지에 올라가게 될 것입니다.

Cai Gen Tan 342(D117)

Nur tiu, kiu plene komprenas, ke lia korpo ne estas lia vera memo, povas lasi la miriadojn da estaĵoj disvolviĝi ĉiu laŭ sia propra naturo. Nur tiu, kiu redonas la mondon al la popolo de la mondo, povas transpasi la vulgaran mondon vivante en ĝi.

채근담 342(후117)

몸이 진정한 자아가 아니라는 것을 완전히 이해하는 사람만이 수많은 존재가 각자의 본성에 따라 발전하도록 할 수 있습니다. 세상을 세상 사람들에게 돌려주는 사람만이 그 속에서 살면서 평범한 세상을 초월할 수 있습니다.

Cai Gen Tan 343(D118)

Se la homa vivo estas tro senokupa, fremdaj ideoj neeviteble estiĝas kaj multiĝas. Se oni estas tro multeokupita, oni perdos sian naturan esencon. Tial, la nobla klerulo ne povas ne maltrankviliĝi pro eksteraj aferoj, kiuj minacas lian korpon kaj menson, kaj samtempe estas tute neeble al li ne droni en aprezado de la misteraj ĉarmoj de la Naturo.

채근담 343(후118)

인간의 삶이 너무 한가하면 필연적으로 낯선 생각이 들고 자라게 됩니다. 너무 바쁘면 자연의 본질을 잃게 됩니다. 그러므로 선비는 자신의 몸과 마음을 위협하는 외부의 것들에 불안하지 않을 수 없고, 동시에 자연의 신비한 매력에 빠져들지 않을 수 없습니다.

Cai Gen Tan 344(D119)

La homa koro ofte perdas sian originan

puran esencon pro la tumultoj de la koro. Se, senigita je ĉiaj ĝenaj pensoj, vi sidas en plena silento kaj rigardas la senhaste flosadantajn nubojn, tiam via koro fariĝas senzorga kaj flosos kun ili malproksimen. Rigardante la pluvgutojn, vi havos la senton, ke via koro fariĝas refreŝigita kaj renovigita. Aŭskultante la kantojn de la birdoj, vi trovos vian koron hele lumigita. Fikse rigardante la falantajn florojn, vi spertas ian belan kaj kvietan senton, ke vi atingas plenan animtrankvilecon. Se tiel estos, kia loko do ne povos fariĝi Paradizo? Kaj kia afero do ne povos permesi al vi kompreni la subliman misteron?

채근담 344(후119)

인간의 마음은 마음의 혼란으로 인해 본래의 순수한 본질을 잃는 경우가 많습니다. 모든 불안한 생각에서 벗어나 완전한 침묵 속에 앉아 유유히 떠다니는 구름을 바라보면 마음이 평온해지고 구름과 함께 멀리 떠내려갈 것입니다. 빗방울을 보고 있으면 마음이 상쾌해지고 새로워지는 느낌을 받게 될 것입니다. 새들의 노래를 들으면 마음이 환하게 밝아짐을 발견할 수 있을 것입니다. 떨어지는 꽃을 가만히 바라보고 있으면 마음이 완전히 평화로워지는 아름답고 고요한 느낌을 경험하게 됩니다. 그렇다면 천국이 될 수 없는 곳이 어디 있겠습니까? 그렇다면 숭고한 신비를 이해하도록 허락할 수 없는 게 도대체 어떤 일입니까?

Cai Gen Tan 345(D120)

Kiam infano naskiĝas, la patrino spertas danĝeron; kiam ŝparitaj moneroj atingas sufiĉe grandan sumon, ili altiras avidan atenton de ŝtelisto. El tio ni povas vidi: kie estas io ĝojiga, tie ĉiam estas ankaŭ io maltrankviliga. Malriĉeco povas helpi kulturi ŝparemon, oftaj atakoj de malsano povas helpi instrui al ni prizorgi la korpon. El tio ni povas vidi: kie estas malfeliĉo, tie estas ankaŭ io, pro kio ni nin gratulas. Tial, la saĝa homo devas rigardi per kvietaj okuloj kiel la favorajn cirkonstancojn, tiel ankaŭ la malfavorajn, kaj esti tuŝita nek de ĝojo, nek de malĝojo.

채근담 345(후120)

아이가 태어나면 어머니는 위험을 경험합니다. 절약해서 모은 동전이 충분히 큰 금액에 도달하면 도둑의 탐욕스러운 관심을 끌게 됩니다. 이에서 우리는 즐거운 일이 있는 곳에는 언제나 불안한 일도 있다는 것을 알 수 있습니다. 가난은 검소함을 기르는 데 도움이 될 수 있고, 자주 질병에 걸리면 몸을 돌보는 법을 배우는 데 도움이 될 수 있습니다. 이에서 우리는 불행이 있는 곳에 우리가 축하할 일도 있다는 것을 알 수 있습니다. 그러므로 지혜로운 사람은 유리한 상황과 불리한 상황을 차분한 눈으로 바라보며 기쁨에도 슬픔에도 흔들리지 말아야 합니다.

Cai Gen Tan 346(D121)

La oreloj klare aŭdas la sonon de fortega vento en la montogorĝoj. Sed tuj kiam pasas la ventoblovo, nenia sono estas plu aŭdata. Se ni aplikas tion ĉi al la demando pri pravo kaj malpravo en la mondo, tiam malaperas ĉiaj banalaj konceptoj kaj senbazaj onidiroj. Niaj plej internaj pensoj estas kiel la reflekto de la luno en akvo; ili malaperas tiel komplete, kiel la luno foriĝas el la akvo. En la sama maniero ni devas forigi ĉiajn distingojn inter nia memo kaj la eksteraj aferoj.

채근담 346(후121)

귀는 산 협곡에서 나오는 매우 강한 바람 소리를 분명히 듣습니다. 그러나 돌풍이 지나가자 마자 더 이상 소리가 들리지 않습니다. 이것을 세상의 옳고 그름에 적용하면 헛된 개념과 근거 없는 소문은 모두 사라집니다. 우리의 가장 깊은 생각은 물에 비친 달과 같습니다. 달이 물에서 사라지는 것처럼 그것들은 완전히 사라집니다. 마찬가지로 우리는 우리 자아와 외부 사물 사이의 모든 구별을 없애야 합니다.

Cai Gen Tan 347(D122)

Kiam la homa menso estas obsedata de la pensoj pri famo kaj profito, tiam kutime la mondo aperas kiel maro de suferoj. Certe vi ja devas scii, ke ĉio, kion vi devas fari, estas forpeli tiajn obsedantajn pensojn kaj admiri la belaĵojn de la naturo: la blankajn nubojn kaj verdajn montojn, la fluantajn riveretojn kaj la altegajn rokojn, la florantajn florojn kaj la

pepantajn birdojn, kaj eĉ la kantojn de
arbohakisto, kiuj eĥiĝas inter la montoj.
Tiam vi ne plu sentos, ke la mondo estas
loko plena nur de la bruoj de konkurado
pri famo kaj profito. Tio, kion vi rigardis
kiel maron de suferoj, ne plu estos tia,
ĉar estas vi mem, kiu trudis al via koro
tiajn afliktojn.

채근담 347(후122)

인간의 마음이 명예와 이익의 생각에 사로잡혀 있
을 때, 대개 세상은 고통의 바다로 나타납니다. 그런
강박적인 생각을 버리고 자연의 아름다움, 즉 흰 구
름과 푸른 산, 흐르는 시냇물과 우뚝 솟은 바위, 피
어나는 꽃과 지저귀는 새, 심지어 산에 울려퍼지는
나무꾼의 노래까지 칭송함이 당신이 해야 할 모든
것임을 분명히 알아야 합니다. 그러면 세상이 명예와
이익을 위한 경쟁의 소음으로만 가득 찬 곳이라고
더 이상 느끼지 않을 것입니다. 고통의 바다로 보았
던 게 더 이상 그렇지 않을 것입니다. 왜냐하면 마음
에 그러한 고통을 부과한 사람은 바로 자신이기 때
문입니다.

Cai Gen Tan 348(D123)

Por aprezi florojn, observu ilin tiam, kiam ili estas duone dispetaliĝintaj. Por plezuriĝi en trinkado de vino, drinku nur ĝis duona ebriiĝo. Tio estas la maniero atingi plenan ĝuon. Se vi rigardas florojn en ilia plena florado brilkolora, aŭ drinkas ĝis plena ebriiĝo, tiam naskiĝas en vi abomena sento. Homoj, kiuj ĝuas riĉecon kaj honoron ĝis pleneco, devas profunde mediti pri tiu ĉi vero.

채근담 348(후123)

꽃을 감상하려면 꽃이 반쯤 피었을 때 관찰하세요. 포도주를 마시는 즐거움을 누리려면 반쯤 취될 때까지만 마시세오. 그것이 완전한 즐거움을 얻는 길입니다. 밝은 색으로 활짝 핀 꽃을 보거나 완전히 취해질 때까지 마시면 역겨운 느낌이 듭니다. 부귀영화를 마음껏 누리는 사람은 이 진리를 깊이 생각해야 합니다.

Cai Gen Tan 349(D124)

Plantoj manĝeblaj, kiuj kreskas sur la

montoj, ne estas prizorgataj de homoj. Sovaĝaj birdoj ne estas home bredataj. Tamen ilia gusto estas nesupereble bona. Se ni restos nemakulitaj de la vulgara mondo kaj ĝiaj kutimaĉoj, niaj naturoj estos tute diferencaj de tiuj de la grandnombraj ordinaruloj.

채근담 349(후124)

산에서 자라는 식용식물은 사람이 돌보지 않습니다. 야생새는 사람이 키우지 않습니다. 그러나 그것들의 맛은 비교할 수 없을 정도로 좋습니다. 우리가 헛된 세상과 그 관습에 물들지 않는다면 우리의 본성은 수많은 보통 사람들의 본성과 전혀 다를 것입니다.

Cai Gen Tan 350(D125)

Plantado de floroj kaj bambuoj, ludado kun gruoj kaj admirado al fiŝoj, tiaj aferoj ĉiuj devas esti faritaj en harmonio kun la vero de Budho, por ke la menso povu esti iluminata. Se oni nur ĝue rigardas per konfuzitaj okuloj la mirindajn belaĵojn de la Naturo, oni ne estos pli bona ol la pseŭdokonfuceano aŭ la falsa adepto de budhismo, kiu en sia serĉado de scioj konsideras la mondon nur kiel iluzian kaj havas nenian rimedon por la savo de la mondo. — Kian subliman misteron do oni povas trovi en tio ĉi

채근담 350(후125)

꽃과 대나무를 심고, 학과 물고기를 가지고 노는 등 모두를 칭찬하는 그런 일들이 부처님의 진리와 조화를 이루어야 정신이 깨달을 수 있습니다. 우리가 자연의 경이로운 아름다움을 혼란스러운 눈을 가지고 오직 재미로 바라본다면 이것은 세상에 대한 지식추구를 단지 환상에 불과하다고 여기고 세상 구원의 수단이 전혀 없는 거짓 유교인이나 거짓 불교 추종자와 다를 바 없습니다. — 이 안에서 얼마나 숭고한 신비를 사람들이 찾을 수 있습니까?

Cai Gen Tan 351(D126)

Kvankam la vivo de ermito estas simpla kaj severa, tamen ĝi estas plena de trankvilo kaj kontenteco. La kamparano en la sovaĝejo vivas en krudeco kaj malklereco, sed li konservas sian propran naturon en perfekta stato. Se ermito rezignus sian ermitan vivon kaj revenus al la ĉiutaga klopodado de la ordinaraj homoj, li fariĝus bazara fikomercisto. — Tiam por li estus pli bone morti en la sovaĝejo, kie liaj animo kaj korpo konservus sian purecon.

채근담 351(후126)

은둔자의 삶은 소박하고 엄격하지만 평온함과 만족감으로 가득 차 있습니다. 들판의 농부는 거칠고 무지하게 살지만 자신의 본성을 순수한 상태로 보존합니다. 은둔자가 은둔생활을 버리고 보통 사람의 평범한 수고로 돌아가면 장터 잡상인이 될 것입니다. — 그렇다면 영혼과 육체가 순수한 상태로 들판에서 죽는 게 나을 것입니다.

Cai Gen Tan 352(D127)

Kiam persono ĝuas plian feliĉon ol li meritas, kaj ricevas pli da mono, ol kiom li perlaboras, tio estas aŭ logaĵo de la Naturo aŭ insido aranĝita de la banala mondo por konduki lin al malfeliĉo. Se li ne estas aparte singarda ĉi-rilate, li

apenaŭ evitas fali en alies artifikojn en tiu
ĉi maniero.

채근담 352(후127)

사람이 마땅히 받아야 할 것보다 더 많은 행복을
누리고, 자신이 버는 것보다 더 많은 돈을 받는다면
그것은 불행으로 이끄는 자연의 유혹이거나 헛된 세
상의 속임수입니다. 이 점에 대해 특별히 주의하지
않는다면 이런 식으로 다른 사람의 책략에 빠지는
것을 피할 수 없을 겁니다.

Cai Gen Tan 353(D128)

La homa vivo estas kiel marionetoludo;
se nur la fadenoj ne estas interimplikitaj
kaj vi mem estas en libera regado de tiuj
fadenoj, tiam vi estas la mastro de la
direktado de via propra vivo, sen la plej
eta manipulado de iu ajn alia, kaj povas
eskapi el la katenoj de la vulgara mondo

채근담 353(후128)

인간의 삶은 인형극과 같습니다. 실이 서로 얽히지
않고 자신이 그 실을 자유롭게 통제할 수 있다면, 다
른 사람의 조금의 조작도 없이 자신의 삶을 이끌어

가는 주인이 되며 속세의 족쇄에서 벗어날 수 있습니다.

Cai Gen Tan 354(D129)

Kiam avantaĝo aperas, estiĝas ankaŭ malavantaĝo. Tial oni ofte rigardas sindetenon de agado kiel feliĉon. Antikvaj versoj legiĝas: "Mi konsilus al vi eviti diskuton pri militado kaj akiro de feŭdo, ĉar la reputacio de unu generalo estas farita el dek mil kadavroj." Kaj: "Se nur paco kaj prospero povus veni al la Imperio, ne estus domaĝe, ke la glavo rustiĝus en sia ingo dum mil jaroj." Legante tiujn ĉi versojn, eĉ brava kaj fajrokaraktera persono ne povus ne senti sian koron afliktita kaj malvarmiĝinta kiel glaciiĝinta akvo.

채근담 354(후129)

장점이 생기면 단점도 생깁니다. 그렇기 때문에 행동을 금하는 것이 종종 행복으로 여겨집니다. 고대에 이런 구절이 있습니다. "전쟁과 영토 획득에 관한 논의를 피하라고 조언합니다. 한 장군의 명성은 만 구

의 시체로 이루어지기 때문입니다." 그리고 "만약 제
국에 평화와 번영이 찾아올 수만 있다면, 칼이 천 년
동안 칼집에서 녹슬어도 안타까운 일이 아닐 것입니
다." 이 구절을 읽으면 용감하고 불 같은 성격의 사
람이라도 마음이 얼어붙은 물처럼 차갑고 괴로워짐
을 느끼지 않을 수 없을 겁니다.

Cai Gen Tan 355(D130)

Lasciva virino povas ŝajnigi penton pri
sia facilmora vivmaniero kaj fariĝi bonzino.
Homo, kiu ĉasis famon kaj riĉecon dum
sia vivo, povas seniluziiĝi kaj retiriĝi al
taŭista templo. Sekve, la budhismaj kaj
taŭismaj sanktejoj, kiuj estas for de la
vulgara mondo, povas fariĝi rifuĝejoj por
malvirtuloj.

채근담 355(후130)

음탕한 여자는 자신의 안일한 생활 방식을 회개한
척하고 좋은 아내가 될 수 있습니다. 평생 동안 명예
와 부를 쫓던 사람이 환멸을 느끼고 도교 사원으로
돌아갈 수도 있습니다. 그러므로 속세에서 벗어난 불
교와 도교의 성소는 악인의 피난처가 될 수 있습니
다.

Cai Gen Tan 356(D131)

Kiam la ondegoj leviĝas ĝis la ĉielo, la homoj interne de la ŝipo restas trankvilaj, dum la homoj ekstere estas teruritaj. Kiam insulta bruego eksplodas ĉe festeno, tiuj, kiuj sidas en la festena ĉambro, tute ne estas alarmitaj, dum la homoj eksteraj estas kaptitaj de konsterno. Sekve, la noblulo devas direkti sian menson ekster la situacion, en kiu li troviĝas.

채근담 356(후131)

파도가 하늘로 치솟을 때 배 안에 있는 사람들은 조용하고, 밖에 있는 사람들은 겁에 질립니다. 잔치 자리에서 모욕적인 소란이 일어나면, 잔치에 앉아 있는 사람들은 전혀 놀라지 않고, 밖에 있는 사람들은 깜짝 놀랍니다. 그러므로 귀인은 자신이 처해 있는 상황에서 벗어나 마음을 움직여야 합니다.

Cai Gen Tan 357(D132)

Malpliigante siajn agadojn, oni pliigas sian kapablon transpasi la vulgaran mondon. Ekzemple: malvastigante la rondojn de siaj amikoj, oni evitigas al si tien-reen-iradon; fariĝinte malparolema, oni reduktas siajn okazojn fari erarojn; ŝparante al si pensadon, oni ne eluzas sian spiriton; kaj malakrigante siajn orelojn kaj okulojn, oni evitigas al si mokojn kaj humiliĝojn. Tial tiuj, kiuj ĉiutage penas pliigi siajn agadojn anstataŭ ilin redukti, ja forĝas al si katenojn!

채근담 357(후132)

자신의 활동을 줄임으로써 평범한 세계를 넘어가는 능력이 향상됩니다. 예를 들어, 친구의 범위를 좁혀서 앞뒤로 이리저리 다니는 것을 피합니다. 말을 아껴서 실수할 가능성을 줄입니다. 생각을 줄여서 정신이 지치지 않습니다. 그리고 귀와 눈을 둔하게 해서 조롱과 굴욕을 피합니다. 그러므로 매일 활동을 줄이는 대신 늘리려고 노력하는 사람들은 실제로 스스로 사슬을 만드는 것입니다!

Cai Gen Tan 358(D133)

Estas facile eviti la varmon kaj malvarmon de la sezonoj, kiuj faras siajn ciklojn, sed estas malfacile elradikigi la nekonstantecon de interhomaj rilatoj, ĉar, eĉ se ĝi estus forigita, la rankoraj sentoj en nia koro kontraŭ aliaj tamen estus malfacile forigeblaj. Se ni vere povus sukcese forpeli ĉiujn tiajn sentojn, tiam nia tuta memo estus plenigita de afableco, kiu kvazaŭ la printempa spiro blovas super la tuta Tero, karesante la miriadojn da estaĵoj.

채근담 358(후133)

계절이 순환하는 더위와 추위를 피하는 것은 쉽지만, 인간관계의 변덕스러움을 뿌리뽑기는 어렵습니다. 그것을 없애더라도 타인에 대한 마음속의 원망은 여전히 없애기 힘들기 때문입니다. 만약 우리가 정말로 그러한 모든 감정을 성공적으로 추방할 수 있다면, 우리 자신 전체가 친절함으로 가득 차게 될 것입니다. 그것은 마치 봄의 숨결이 지구 전체에 불어와 수많은 존재들을 어루만지는 것과 같습니다.

Cai Gen Tan 359(D134)

Trinkante teon, oni ne donu atenton al la rafiniteco de la teo; grave estas, ke oni certigu, ke la tekruĉo neniam estas seka kaj en ĝi ĉiam estas teo trinkebla. Trinkante vinon, oni ne donu atenton al ĝia gusto; grave estas, ke oni certigu, ke la vintaso neniam estas malplena kaj en ĝi ĉiam estas vino trinkebla. Neornamita liuto, eĉ se ĝiaj kordoj ne estas tiel bonaj, povas eligi tonon perfekte agrablan, kaj simpla fluto, eĉ se ĝiaj truoj ne estas tiel normaj, povas aŭdigi melodion rave belan. Sekve, kvankam estus malfacile atingi tian sendezirecon, kia ekzistis antaŭ la tempo de Fuxi*, tamen metante sin en la harmoniecon kun la Naturo, oni povus atingi la nivelon de Ji Kang kaj Ruan Ji*

*Fuxi : legenda reganto en la antikva Ĉinio. antaŭ lia naskiĝo, homoj adoris naturecon, havante nek aspirojn, nek sentojn ĝojajn aŭ malĝojajn, kaj sciante nek serĉi feliĉon, nek eviti malbonojn en la vivo.

*Ji Kang kaj Ruan Ji : du el la "Sep Induloj de la bambuaro" en la periodo de Tri Regnoj. Ji Kang, fakulo pri liutoludo, rekomendis revenon al la natureco. Ruan

Ji, kiu iam tenis superan militan pozicion,
poste iris vivi kiel ermito en izoliteco.

채근담 359(후134)

차를 마실 때 차의 정제미를 중시해서는 안 됩니다. 찻주전자가 절대 마르지 않고 그 안에 항상 마실 수 있는 차가 있는지 확인하는 것이 중요합니다. 포도주를 마실 때 풍미에 주의를 기울여서는 안 됩니다. 잔이 비어 있지 않은지, 그 안에 항상 마실 수 있는 포도주가 있는지 확인하는 것이 중요합니다. 장식이 없는 거문고는 현이 좋지 않아도 아주 기분 좋은 음색을 낼 수 있고, 단순한 피리가 구멍이 그다지 좋지 않더라도 기분 좋게 아름다운 곡을 연주할 수 있습니다. 그러므로 복희 이전의 무욕을 이루기는 어려울지라도 자연과 조화를 이루면 혜강과 완적의 경지에 이를 수 있습니다.

*복희: 고대 치나의 전설적인 통치자. 복희가 나기 전에 인간은 자연을 숭배했으며, 열망도 없고, 기쁨이나 슬픔의 감정도 없었고, 행복을 구하는 것도 인생에서 악을 피하는 것도 몰랐다.

*혜강과 완적: 치나 삼국시대의 "죽림칠현" 중 두 사람. 거문고 연주의 대가 혜강은 자연으로의 회귀를 주장했다. 한때 최고의 군사 지위를 누렸던 완적은

나중에 은둔 생활을 하게 되었다.

Cai Gen Tan 360(D135)

Laŭ budhismo oni devas sekvi la karmon, nome akcepti, kion la tempo kaj cirkonstancoj alportas; konfuceanismo instruas, ke oni devas kontentiĝi pri sia okupita pozicio. Tiuj ĉi du principoj estas la savzonoj, kiuj ebligas al homoj transpasi la maron de suferoj. La vojoj de la vulgara mondo estas vastaj kaj longaj; serĉi perfektiĝon inter eksteraj aferoj estas veki multegon da deziroj. Se oni povas adapti sin al ia ajn situacio, kiu aperas, tiam kien ajn oni iros, oni trovos kontentecon.

채근담 360(후-135)

불교에 따르면 업(業)을 따라야 합니다. 즉 시간과 상황이 가져오는 것을 받아들여야 합니다. 유교에서 는 자신이 차지하고 있는 지위에 만족해야 한다고 가르칩니다. 이 두 가지 원칙은 사람들이 고통의 바 다를 건너게 하는 생명선입니다. 속된 세상의 길은 넓고 깁니다. 외적인 일에서 완벽함을 추구하는 것은 수많은 욕망을 일깨웁니다. 발생하는 어떤 상황에도 적응할 수 있다면, 어디로 가든지 만족을 찾을 것입니다.

Pri esperanta tradukinto

王崇芳(WANG Chongfang): 1936~

"...Mi hazarde ekkonis Esperanton. Ĝi tuj altiris min per sia "interna ideo". Zamenhof estis judo ordinara, sed li havis koron plenan de homamo, kiu instigis lin krei Esperanton kaj dediĉi sian tutan vivon al la disvastigo kaj aplikado de ĝi, kio akirigis al li universalan respekton de la esperantistaro..."

S-ano WANG Chongfang naskiĝis la 30an de junio 1936 en Zhenjiang, Ĉinio. Emerita mezlerneja instruisto. Ekkonis Esperanton en 1953 kaj esperantistiĝis en 1957. Esperantigis Kamelon Ŝjangzi, Analektojn de Konfuceo, Profilon de Zhou Enlai, Ĉinan Ceramikon, Da De Jing de Laŭzi kaj aliajn librojn. Kompilinto de Granda Vortaro Ĉina-Esperanta kaj Granda Vortaro Esperanto-Ĉina.

Letero el Ĉinio

Al koreaj legantoj de la Esperanta traduko de Cai Gen Tan aŭ Maĉado de Saĝoradikoj

Mia amiko Ombro-JANG(張禎烈) informis min, ke la ĉefo de la eldonejo Azalea en Seŭlo deziras eldoni mian modestan Esperantan tradukon de Cai Gen Tan, ĉar multaj el la koreaj esperantistoj ŝatus legi ĝin libroforme. Kun granda ĝojo mi senprokraste sendis per-rete la dosieron de la tuta teksto de mia traduko.

Ĉinio kaj Koreio estas tujproksimaj najbaroj en intimeco, kaj niaj du landoj havis kaj havas multon komunan en kulturo kaj moroj. Ekde la antikveco niaj du popoloj ĉiam estas en tre intimaj rilatoj.

Mi ankoraŭ klare memoras, ke tiel frue kiel antaŭ pli ol 20 jaroj iu el miaj ĉinaj esperantistoj-amikoj transsendis al mi ret-leteron de LEE(李種永), la eksprezidanto de UEA, en kiu li skribis: "Fakte 5 espersntistoj en nia urbo ĉiu mardo vespere kunsidas por studi vian "Analektoj de Konfuceo", komparante ĝin kun la originalo. Nun ni estas en ĉapitro 12, kaj estas tre interesa. Ni elprenas ĉiumonate interesajn dirojn el la libro kaj publikigas ilin, kune kun la originalon, sur la organo de Korea Esperanto-Asocio." La mesaĝo treege ĝojigis min.

Mi havis la feliĉon persone renkontiĝi kun la karmemora s-ro LEE en la Nankina Universitato, kie li estis invitita doni prelegon pri ekonomiko. Profitante la okazon li intervidiĝis kun parto de la esperantistoj de la provinco Jiangsu, kiuj tiam koincide kunvenis en Nankino por simpozio. Dum la intervidiĝo li faris al ni paroladon kaj menciis interalie la fakteton, ke en la Esperanta kongreso okazinta en Aŭstralio li estis invitita doni prelegon en Esperanto pri ekonomiko, en kiu li citis plurajn dirojn de Konfuceo koncernantajn ekonomikon el mia traduko de Analektoj de Konfuceo, kiun li sukcese havigis al si ĝustatempe. Baldaŭ poste, reveninte al la lando, li zorge elektis el mia traduko parton de la diroj de Konfuceo kaj kompilis la libron Elektitaj Analektoj de

Konfuceo (論語要解 李種永編注) por publikigo. La erudicio kaj la modesteco de s-ro LEE forte impresis min kaj vekis en mi profundan respekton al li.

Mi, kiel ĉino, tre fieras pri la ĉina riĉa kultura heredaĵo, kiun postlasis al ni niaj prapatroj. Mi amas la ĉinan tradician kulturon kaj la saĝecon de la majstroj de la diversaj pensoskoloj, precipe la klasikaĵojn de Konfuceo, Laŭzi kaj aliaj ĉinaj saĝuloj. Mi ĉiam havas la opinion, ke ilia saĝeco apartenas ne nur al la ĉinoj, sed ankaŭ al la tuta homaro, kaj iliaj libroj devus havi sian Esperantan tradukon. Jen kial mi entreprenis la tradukadon de pluraj el la plej gravaj antikvaj verkoj.

Se tiuj miaj tradukoj interesos koreajn legemulojn, tre volonte mi dediĉos ilin al vi ĉiuj, karaj koreaj legemuloj, absolute sen rezervo. Tio estos por mi granda plezuro.

Amike,
WANG Chongfang

번역자의 편지

채근담 또는 지혜의 뿌리 씹어먹기의 에스페란토 번역본의 한국 독자들에게

내 친구 Ombro-Jang(張禎烈)은 많은 한국 에스페란티스트들이 채근담을 책 형태로 읽고 싶어하기 때문에 서울에 있는 진달래 출판사 대표가 에스페란토 번역본을 출판하기를 원한다고 알려주었습니다. 큰 기쁨으로 나는 즉시 내 번역의 전체 텍스트 파일을 온라인으로 보냈습니다.

중국과 한국은 친밀한 이웃이며 양국은 문화와 관습에서 많은 공통점을 갖고 있습니다. 예로부터 우리 두 민족은 늘 긴밀한 관계를 유지해 왔습니다.

저는 20여 년 전에 제 중국인 에스페란티스트 친구 중 한 명이 UEA의 전 회장 이(李種永) 씨로부터 받은 이메일을 전달해 주어 받았던 것을 아직도 생생히 기억합니다. 내용은 "우리 도시는 매주 화요일 저녁에 당신의 "공자의 논어"를 연구하고 원본과 비교합니다. 이제 우리는 12장에 있으며 매우 흥미롭습니다. 매달 책에서 재미있는 말을 발췌하여 원문과 함께 한국에스페란토학회 기관지에서 발간하고 있습니다." 였는데 그 메시지는 저를 매우 행복하게 만들었습니다.

난징대학교에서 경제학 강의를 하도록 초청받은 이 씨를 개인적으로 만날 수 있는 행운이 있었습니다. 그 기회를 이용하여 그는 강소(江蘇)성에서 에스페란티스토 몇 명을 만났고, 그들은 우연히 심포지엄을 위해 난징에 모였습니다. 회의 중에 그는 우리에게 연설을 했고 무엇보다도 호주에서 열린 에스페란토 대회에서 경제학에 관한 에스페란토 강연을 하도록 초청받았다는 작은 사실을 언급했습니다. 거기에서 그는 제 시간에 성공적으로 얻은 공자의 논어 번역에서 경제학에 관한 공자의 몇 가지 말을 인용했습니다. 얼마 지나지 않아 그는 귀국하여 내가 번역한 공자의 말씀 중 일부를 신중하게 선택하여 논어요해 이종영편주(論語要解 李種永編注)라는 책을 편찬하여 출판하였습니다. 이 씨의 학식과 겸손은 저에게 강한 인상을 주었고 그에 대한 깊은 존경심을 일깨웠습니다.

나는 중국인으로서 조상들이 우리에게 물려준 풍부한 중국 문화유산을 매우 자랑스럽게 생각합니다. 나는 중국 전통 문화와 다양한 사상 유파의 거장들의 지혜, 특히 공자, 노자를 비롯한 중국 현자의 고전을 사랑합니다. 나는 항상 그들의 지혜가 중국인뿐만 아니라 모든 인류에게 속하며 그들의 책은 에스페란토로 번역되어야 한다는 의견을 가지고 있습니다. 이것이 제가 가장 중요한 고대 저작물의 번역에 착수한 이유입니다.

내 번역이 한국 독자들에게 흥미로웠다면, 사랑하는 한국 독자 여러분 모두에게 절대적으로 조건 없이 바치게 되어 매우 기쁩니다. 그것은 저에게 큰 기쁨이 될 것입니다. 우정을 담아

왕숭방